習近平独裁の四面楚歌、内憂外患

世界史に記録される2020年の真実

石平
Seki Hei

ビジネス社

はじめに

早くも菅政権にすり寄る四面楚歌の中国

本書が校正に入った段階で、日本では菅義偉（よしひで）氏が新首相となって菅政権が成立した。

菅政権下で日中関係が一体どうなるのかについて考えていたところ、それを兆（きざ）すような動きは早速あった。菅氏が首相に指名された当日の9月16日、習近平国家主席は何と各国首脳のなかではいち早く、菅首相の就任に祝電を送ってきたのだ。

対応の早さもさることながら、実は中国の国家主席が日本の首相就任に祝電を送ってくるのは異例中の異例だ。中国側は平素から、日本首相のカウンターパートは中国の首相（国務院総理）だと理解していて、自国の国家主席を日本首相よりも格上の国家元首だと位置付けている。だからこれまで、日本首相の就任に祝電を送ってくるのはいつも中国の首相であった。

しかし今回、習近平主席が慣例を破って自ら祝電を打ってきた。それは習政権が菅新首相に送った「ラブコール」であろうとも理解できようが、その後に中国側はまた、習主席との電話会談の実施を日本側に要請してきた。

しかし日本側は直ちにそれに応じようとはしない。菅首相はまず、米国・豪州・英国・EU・インドなどの主要国との電話会談をこなしてから、9月25日の晩になってからやっと習主席との電話に出た。

習主席にしては、一番乗りで祝電を送ったのに一連の電話会談の最後に回されたのはいかにも心外なことであろうが、この会談において、習主席にとってまたもや大変不本意なことがあった。菅新首相の口からは、前政権が一度決めたはずの習主席の国賓訪日の話は一切出てこない。事実上の棚上げであった。

「大国」だと自負する中国からすれば、このような電話会談の結果はまさに屈辱、習主席のメンツが丸潰れとなった。

しかし大変奇妙なことに、普段から隣国に対して傲慢な態度をとってきた中国政府は、菅首相から受けたこのような辱めに対して反発することもなく、むしろ逆に、自国の王毅外相の早期日本訪問について日本側との調整に入った。

菅政権からは露骨に軽視されていても、メンツとプライドを放り捨てて日本にすり寄ってくるこの卑屈な外交姿勢は、中国にしてはまさに前代未聞の話であろう。「大国中国」がそれほどまでに「落ちぶれ」ている背景には実は、今年の夏あたりから急速に進んできている中国自身の孤立化があった。

コロナ問題の一件以来、中国とアメリカとの対立が深まってきている一方、中国は豪州やインドとの関係を悪化させてきた。そして6月末の香港国家安全維持法の強行によって中国がイギリスをも敵に回してしまい、EU主要国との関係にも亀裂を生じさせた。気がついたら中国にとっての国際環境はまさに四面楚歌、中国叩きと中国離れはもはや世界的な潮流となっている感である。

だからこそ習近平政権はなり振りかまわず日本に媚びて菅首相に縋ってきているわけであるが、問題は、中国の未曾有の孤立化をもたらしたのは一体どういうものなのか。そして中国は一体どうして、世界全体を敵に回してしまうような愚挙を行い続けているのだろうか、である。

6月から開設したユーチューブ「石平の中国深層分析」の一部内容の文字化を含めた本書は、まさに今年夏以来急速に進んでいる中国の孤立化を全方面的に捉えて、その深層的な原因を掘り下げて分析した一冊である。もちろん、中国の外交問題を取り上げると同時に、考察の目を中国国内にも目を向けて、政治の中枢部で展開されている激しい権力闘争や中国社会のなかで起きている離反や戦争の勃発にもつながりかねない一部の好戦的雰囲気などに対する論考をも行った。

このようにして、内と外の両面から「中国」を掘り下げて全方位的に論考した一冊である。この一冊をお読みいただけたら、大激動期にあるいまの中国の姿、そしてこの巨大国家の今後の行方が手に取るようにご理解いただけるのではないかと、手前味噌でありながらもそう自負している次第である。

最後に、本書の刊行を迅速に推し進めてくださったビジネス社の唐津隆社長に感謝を申し上げたい。そして本書を手にとっていただいた読者の皆様には、ただひたすら頭を下げてお礼を申し上げたい。どうも有難うございました！

石　平

令和2年9月吉日　於奈良市内独楽庵

はじめに —— 2

序章 独裁者のメンツのために殺された香港

これほど横暴にして恣意的な法律は世界に存在しない —— 16
習近平政権が香港つぶしに至った理由とその経緯 —— 18
暴露本がきっかけになって生まれた天下の悪法 —— 21

第1章 こんなに恐ろしい中国の一党独裁体制システム

軍隊・警察・メディア・外国に浸透する共産党の支配力

独裁はすばらしいと捉えるようになった一部の中国人 —— 24
中国を怪物に育て上げた一党独裁の仕組み —— 27

習近平独裁政治の特質　その1
すべての領導小組のトップを独占――31
側近政治の横行――34
習近平独裁政治の特質　その2
父親の失脚とおおいに関係する習近平の人格形成――37
出世のキーパーソンは江沢民派の賈慶林と張徳江――39
悪夢だった毛沢東時代
民衆がストレスを発散させる場だった公開処刑――43
毛沢東の共産革命はコンプレックスの〝捌け口〟――45
習近平を「マフィアのボス」と痛罵した中央党校元教授
海外のSNSに拡散された共産党きっての開明派の本音――47
中国は5年以内に乱世となる――48

第2章

米中対決の流れを変えた北戴河会議

ニクソンで始まりニクソンで終わった対中関与政策

中国への宣戦布告となったポンペオ国務長官の演説 —— 52

唐突に低姿勢に転じた中国政府 —— 55

NYタイムズの「観測記事」に過剰反応を示した共産党関係者

共産党幹部の合言葉は「反美是工作、留美是生活」 —— 57

中国共産党と中国人民との「分断」を狙うアメリカ —— 59

今夏、唐突に中国からアメリカに送られたラブコール

支離滅裂な中国側の主張 —— 63

習近平にぶつけられた長老たちの不満 —— 66

対米弱腰外交のツケが日本に向けられる可能性

アザー厚生長官の訪台に見る中国による恫喝外交の限界 —— 70

強い者に噛みつかず弱い者を苛める中国の習性 —— 73

許されない日本の八方美人的な振る舞い —— 75

幕引きの時期を迎える戦狼外交 —— 77

中国の戦略なきトンチンカン外交の末路

暴言により欧州との亀裂を深めてしまった王毅外相の愚 —— 79

「合従連衡」を生んだ中国の外交の没落 —— 82

第3章 ウイルス拡散の責任を絶対に認めない中国

パンデミックを生んだ中国の習近平個人独裁体制

衛生部門の幹部が招聘されなかった「感染症対策本部」 —— 86

最高指導者と地方幹部との泥仕合という珍風景 —— 88

垣間見えてくる、習主席による情報隠蔽要求 —— 91

感染者急増の責任は誰にあるのかを知っている人民 —— 93

中国における「新規感染者数ゼロ」のからくり

理由なき新規感染者数激減 —— 95

新増ゼロと生産活動再開の両方を求めた中国政府 —— 98
病例の発生を報告しない者の責任を追及せよと提言した専門家 —— 99
まったくわからない実際の新規感染者数 —— 102

中国にとって奇貨となった欧米の惨状

5月に始まった不気味ほど異様な習近平礼賛報道 —— 104
それまで国民の反発の的となっていた習近平 —— 108
習近平にとって名誉挽回の最大の転機となった海外の感染拡大 —— 111
正当化された一党独裁の挙国体制 —— 113

第4章 大水害と李克強の反撃

李克強排除に動き出した習近平

権力闘争に火をつけた全人代終了後の李首相の発言 —— 118
習近平がもっとも好むメンツプロジェクト —— 121
「国内大循環経済」に初めて言及した習主席 —— 123

身勝手はなはだしい中国流の「生存空間開拓論」
泄洪区を生んだ人口分布の異常な不均衡 —— 124
漢民族が引き起こした森林破壊と砂漠化 —— 127
中華思想ときわめて相性が良い生存空間開拓論 —— 128
習近平に痛烈な一撃を与えた李克強の奇襲作戦
大水害に見る習政権の無責任体制 —— 130
水害でイメージアップに成功した李克強首相 —— 133
「民意」の李克強vs「強権」の習近平という構図 —— 135
習近平サイドの封殺を打ち破った李克強
数日遅れで報じられた李克強首相による重慶電撃視察 —— 137
膠着化と長期化が予想される2人の権力闘争 —— 139
習近平・韓正、悪の同盟関係
首相のような扱いを受ける韓正 —— 141
香港国家安全維持法を主導・制定した悪のコンビ —— 143

第5章 中国が目指す「双循環経済」の危うさ

共産党元高官の衝撃論文から見る中国危機の深刻さ

中国の外部環境の悪化に備えよと説いた元外交官――148

反省なしの危機感ほど恐ろしいものはない――151

「内循環経済」の登場から見た、中国経済のアキレス腱と絶望

「自給自足」型経済を提唱した劉鶴副首相――153

中国を見捨てるベクトルで動いている国際社会――157

風前の灯火と化した習近平肝いりの「一帯一路」

注目された習近平によるAIIB理事会向けのビデオ演説――160

あまりにも虫の良すぎる「一帯一路」構想――161

相次ぐプロジェクトの停止や延期――163

飲食監視社会という新たなる恐怖

街中に貼られる「光盤」を呼びかけるポスター――165

中国人にはライフスタイルを選択する自由すらない――167

第3者による監視員制度 ―― 168
ルビコン川を渡った中国 ―― 171

第6章 いま内モンゴル自治区で何が起きているのか

中華民族というインチキ概念を暴く

モンゴル人の文化的アイデンティティが殺される ―― 176
日本人も中華民族になるかもしれない ―― 178
民族支配から民族同化へ ―― 180

モンゴル人の民族抵抗運動は「中華帝国」崩壊の端緒となるのか

特別対談　石平＆楊海英

中国による公文書なき文化的ジェノサイド ―― 183
民族としての団結意識が目覚めた世界中のモンゴル人 ―― 186
成吉思汗は中国人だった？ ―― 189

中国共産党に理解できなかったモンゴル人の価値観――190
世界で2番目に強いモンゴル国のパスポート――193
モンゴル人ナショナリズムの源は誇り――196
情報戦で群を抜いていたモンゴル帝国――199
内モンゴルと満洲国を解放したのはソ蒙連合軍――202
大国の裏取引により中華民国に引き渡された内モンゴル――204
内モンゴルのエリートを根こそぎ粛清した共産党による人民革命――206
世界史に残る年になるかもしれない2020年――209

序章

独裁者のメンツのために殺された香港

これほど横暴にして恣意的な法律は世界に存在しない

2020年6月30日、中国の国会に相当する全国人民代表大会（全人代）常務委員会は全会一致で「香港国家安全維持法」を可決、同日午後11時より施行した。

いま一度、香港国家安全維持法の骨子をさらってみよう。

国家分裂、政権転覆、テロ活動、外国勢力と結託して国家安全に危害を加える行為をする者を処罰する。そのために香港政府が「国家安全維持委員会」を設立し、関連事務に責任をもつ。さらに中国政府は指導・監督のため香港に「国家安全維持公署」を設置、中国政府は特定の情勢下でごく少数の犯罪案件に管轄権を行使する。また、国家安全維持法が香港の他の法律と矛盾する場合、国家安全維持法を優先させる。

問題は、香港政府を指導・監督する立場にある「国家安全維持公署」であろう。国家安全維持公署とは、中央政府直属の香港における「公安警察・秘密警察機関」とされる。同公署は共産党政権の「管轄下」にあり、独自に捜査権・逮捕権を行使できる。

つまり、国家安全維持公署は香港政府の管轄下にあるものではなく、香港政府の〝上位〟に立つ警察権力の行使ができるわけだ。警察が政府の上に立つとは、これは文明社会では信じられない話である。

これは香港基本法を完全に〝無視〟したものであり、「国家安全維持法」の恣意的な拡大解釈によって、弾圧・粛清のやりたい放題となるわけだ。こうなると香港社会は無制限な警察権力による恐怖社会になってしまう。

しかも、この「香港国家安全維持法」は香港市民に適用されるだけではなく、実はわれわれ外国人にも適用される。「香港国家安全維持法」の第38条にこう謳われている。香港特別行政区住民の身分を持たない人間が、香港行政特別区以外の場所で本法律の定めた犯罪を犯した場合、本法律の適用となる。これは恐ろしいとしか言いようがない。

香港においてではなく、たとえば日本人が日本のなかで、香港人の民主主義への言論を支持するような言動をとった場合、中国政府にすればそれは犯罪で、処罰対象となるというのだ。世界広しといえど、これほど横暴にして恣意的な法律は存在しないのではないか。

このような悪法が施行された香港の今後はどうなってしまうのだろうか？

まずは「香港国家安全維持法」を怖がる香港人の大量国外逃亡が起きるはずである。それに伴い、香港から優秀な人材と膨大な資金が外国に流出する。外国人にも同法が適用されることから、外国企業や外国の金融機関は香港からの撤退、移転を進めるはずである。

そうなると、自由貿易港としての香港はその機能を喪失してしまい、国際金融センターとしての香港の役割も終わってしまう。それは一国二制度の「死」を意味するとともに、香港という国際都市の「死」を意味する。

残念きわまりないことだけれど、香港国家安全維持法の施行は確実に香港を殺してしまうはずだ。

けれども、香港は中国にとって外国から資金調達するための重要な窓口であり、外国企業や外国資本が中国に入っていくための窓口でもあり、しかも中国の対外輸出の窓口という大きな役割を担ってきた。

問題はそれほど価値のある香港を殺してまで、習近平政権は香港国家安全維持法を施行せねばならなかったのか、である。香港国家安全維持法が誕生した理由と経緯について考察してみたい。

習近平政権が香港つぶしに至った理由とその経緯

第一幕　銅鑼湾書店店主拉致事件

2015年10月、香港銅鑼湾(どらわん)書店店主の林栄基氏以下、関係者計5人が相次いで失踪(しっそう)するという事件が発生した。当初より、彼らは中国に拉致されたとの疑いが持たれていた。

もとより銅鑼湾書店は中国批判の暴露本を出版することで知られており、同書店が近々、習近平国家主席のスキャンダル暴露本の出版を予定していたからであった。本の内容は人伝手に聞いたところ、習近平と彼の愛人たちとの私生活ということだった。

2016年6月、保釈された林栄基氏は自分が中国当局に拉致された生々しい事実を、香港メディアに伝えた。「一国二制度」を公然と踏みにじった習政権の拉致行為に対して、香港市民からも国際社会からも批判が巻き起こった。

一方、中国政府は習政権にとり都合の悪い香港人を拉致するような強引な手法は国際社会から反発を買うのみで、やり方を変える必要に迫られた。

第二幕「逃亡犯条例改正案」の制定と失敗

2019年2月、中国政府の意向を受け、香港政府は「逃亡犯条例改正案」を立法会に提出した。同改正案のポイントは「香港人容疑者」の中国本土への移送を可能にすることであった。このことから、「逃亡犯条例改正案」提出に対する中国側の思惑がはっきりと見えてきた。

要は、中国政府が香港政府を動かして、同改正案を成立させることによって、香港から〝合法的〟に気に入らぬ香港人を拉致する。それが目的であった。密かに拉致すると国際社会からの批判に晒される恐れがあるから、いっそのこと「逃亡犯条例改正案」を制定して、中国政府に楯突く香港人を法律に基づいてそのまま中国に引き渡せるようにすればいい。そうすれば、拉致をする必要がなくなるからであった。

ところが、中国政府の〝傀儡〟である香港政府の動きに対する香港人の怒りは凄まじく、頂点に達した同年6月には200万人参加の史上最大の抗議デモが打たれた。その結果、同年10月に香港政府は同改正案を撤回した。

習近平政権は大きな挫折感を味わい、香港における「反対勢力」の手強さ、現行法体制での取り締まりの限界を思い知らされた。

第三幕「香港国家安全維持法」の制定と施行

次に習近平政権が考えたのは、現行法体制の制限をすべて取り払って、中国の警察権力が香港で思う存分、反対勢力を〝弾圧〟できる法律を制定することであった。

2020年6月30日、ついに全人代常務委員会において全会一致で「香港国家安全維持法」を可決、施行した。

これで中国側は香港から反政府勢力の容疑者を拉致する必要がなくなった。加えて、容疑者を香港から中国に移送する必要もなくなった。中国共産党政権の直接指揮下の公安警察・秘密警察が香港のなかに入り込んで、あらゆる超法規的手段を用いて反対勢力を一掃し、根絶やしにすることができるようになった。その根拠になるのが香港国家安全維持法なのである。

暴露本がきっかけになって生まれた天下の悪法

考えてみれば、香港国家安全維持法が制定、施行されるきっかけをつくったのは、習近平のスキャンダル暴露本の出版を阻止するためであった。要は自分のメンツを守るために、一国二制度の原則を無視して銅鑼湾書店の関係者を拉致、中国へと移送した。

こうしたあまりにも乱暴なやり方は国際社会から非難を浴び、香港市民の猛反発を生んだ。それを踏まえて、習政権がつぶしたい人物（容疑者）を合法的に香港から移送するために制定を目論んだのが「逃亡犯条例の改正」だった。

ところが、それが香港市民のさらなる猛反発を招き、世界のメディアが注目する大規模デモに発展したことから、撤回に追い込まれた。この挫折に習近平は大変な危機感を覚えた。さらに、先にもふれたとおり、香港の現行法制下においては香港の反対勢力を完全に潰すことはできないと強く認識した。

そう認識したからこそ、現代社会ではありえない悪法、香港国家安全維持法が生み落とされたわけである。

ただ1人の独裁者のメンツのために拉致という野蛮な手段が用いられ、以上第一幕から第三幕を経て天下の悪法が制定、施行された結果、香港という歴史上、本当にユニークな国際都市の未来と繁栄が断たれてしまった。

未来の歴史家はこの香港の〝死〟をどのように描くのだろうか。

第1章

こんなに恐ろしい中国の一党独裁体制システム

軍隊・警察・メディア・外国に浸透する共産党の支配力

独裁はすばらしいと捉えるようになった一部の中国人

今回のウイルス禍のなか、国内の感染が終息したように強引に見せた中国は、「自由民主主義社会は感染を防ぐことができなかった」と執拗に指摘、「これは共産党指導体制の完全な勝利である」と言い募った。

中国の御用学者は世界に向かって、「パンデミックは中国政府に独裁の根拠と大義名分を与えた」と図々しく喧伝した。

たしかにこれまで西側の国際社会はある意味、中国の独裁体制に対して見て見ぬふりをしてきた。これはいまにして思えば、きわめて無責任な姿勢だった。

中国は独裁だからこそ国の安定が維持され、西側諸国は中国とうまくビジネスができる。それだけに中国の一党独裁に対して内心、安堵している部分もあったろう。いまだ中国が抱える14億人を今後も引き続きおいしい市場だと勘違いし、中国との訣別を回避しようと動く日本の財界も同じである。

だが、ウイルス感染発生後に中国が行ってきた隠蔽（いんぺい）、人権弾圧、責任転嫁、無反省、暴走ぶりを目の当たりにした国際社会はようやく気づいたのではないか。あれだけ巨大になった中国が独裁体制だからこそ、世界にとってとんでもない〝禍（わざわい）〟になりうることに。中国共産党の独裁体制こそが中国国民のみならず、世界全体にとってのガンとなるのは間違いないと。

ノンフィクション作家の門田隆将氏の著書『疫病2020』（産経新聞出版）に中国の独裁体制の実態が垣間見られる箇所があった。

いざ隠蔽するとなれば、国家衛生健康委員会も地方政府も中央電視台も、一斉に隠蔽工作に取り掛かる。中国ではあらゆる機関や団体は共産党委員会の指揮下にある。

武漢でのウイルス蔓延情報をネットで拡散した李文亮（りぶんりょう）医師に反省文を書かせたのは公安局だったが、それを受けてただちに北京の中央電視台が全国報道した。李医師に対しては武漢の公安局にあらかじめ訓戒書が用意されており、彼がサインするだけになっていたからだ。なんともあざといほどのスピード連携ではないか。

中央電視台、警察、病院に至るまで中国全土の津々浦々の組織が共産党の支配下にあり、そのすべての組織は共産党の命令に従わなければならない。命令することができる組織とは共産党中央の政治局。その政治局に命令するのが習近平なのである。

そういう体質なので、習近平がある日突然、頭がおかしくなれば、世界中の人々が被害を受けることになる。もし習近平が明日にでも、世界中に毒をばらまいて人類を滅亡させたいという願望をもったならば、それができてしまうのである。

今回のウイルス禍で、共産党の洗脳教育を受けた一部の中国人は「われわれの一党独裁はどこの国よりもすばらしい」と心底思うようになってきたという。これは1989年の六四天安門事件以降の中国の歴史から見れば、皮肉というしかない。

1977年に文化大革命が終わって、毛沢東独裁の反省から中国の改革が始まったのだが、その最後にたどり着いたのが「独裁万歳」だったとは。独裁体制で人権も自由もすべて奪った上でウイルスを抑え込んだ格好なのだが、逆にそれが「独裁はすばらしい」ということの証明になってしまった。

このことは国際社会にとり、きわめて重要なことであると、私は提起したい。中国人の一部は、アメリカに押し付けられたものではなく、自国の価値観と思想がつくり上げた習近平国家主席の独裁体制を誇らしげに捉えている。これは本当だ。

ということは、今後しばらくの間は中国の一党独裁体制がつぶれることはあまり期待できない。われわれは場合によっては数十年にわたって、莫大な国力と軍事力をもち、いつ悪さをするかわからない中国と向き合っていかねばならない。その中国は、「世界を俺たちが支配する」という野望を抱く中華的帝国の伝統と共産党の独裁が合体した〝怪物〟なのである。

中国を怪物に育て上げた一党独裁の仕組み

この怪物中国が敷く一党独裁体制について、日本の人たちは何となく理解しているだけで、あまり詳しくは知らないのではないか。そんな危惧を私は抱いている。ここでは一党独裁体制がいかに恐ろしいものであるのかを論じていきたい。

知ってのとおり、１９４９年に毛沢東が中華人民共和国の樹立を宣言して以来、中国はいまも共産党による一党独裁体制を敷いている。

中国にも日本の国会にあたる全国人民代表大会（全人代）という立法機関は存在する。そこには共産党以外の議員もいるし、女性議員も数多くいる。しかしながら、これらは形式的なものにすぎず、中国の政治権力は共産党により独占されており、政権交代もなければ、そのための選挙もない。

読者諸氏に再認識していただきたいのは、中国共産党が独占しているのは「政治権力」だけではないということである。

いちばんわかりやすい例をあげると、「人民解放軍」という軍隊の存在であろう。解放軍は他国のように国家の軍隊ではない。中国共産党直属の軍事組織であり、共産党が指導する。その最高統帥部は「党中央軍事委員会」で、軍事指揮権をもつのはいま習近平が就任している党中央軍事委員会主席である。中国共産党政府ではないのだ。

だから、鄧小平も江沢民もそのポストの続投に固執した。私が先に「習近平がある日突然、頭がおかしくなれば、世界中の人々が被害を受けることになる」と書いたのも、それを意識してのものだ。現在の党中央軍事委員会主席でもある習近平がどこかを軍事攻撃すると決意したら、それがどんなに馬鹿馬鹿しく、国家の不利益になるような決定であっても、国務院も全人代も覆すことはできない。だから怖い。ある意味では国家主席、党総書記、党中央軍事委員会主席の三権のなかで、党中央軍事委員会主席は最大の権力ともいえる。

「警察（公安警察・武装警察・秘密警察）」についても、先にふれたとおり、すべて共産党が指導している。全警察組織の頂点は共産党の「中央政法委員会」である。そのトップは「政法委員会書記」で、共産党政治局員もしくは政治局常務委員が兼任する決まりになっている。

ここも中国の一党独裁の恐ろしいところなのだが、この政法委書記と政法委員会は警察のみならず、検察も裁判所（法院）も従えているのだ。だから、そんな中国にまっとうな裁判や司法を望むほうがおかしい。

検察院が誰を送検するか、裁判所はどのような判決を出すのかまで、そのすべてが共産党政法委員会書記の胸三寸で決められる。政法委員会が警察、検察、裁判所までを支配するようなシステム下では、普通の法治国家では本来ある程度の対立関係にあるはずの警察と検察と裁判所は実質上、同じ組織と同じ命令系統下の別々の部門に過ぎない。

政法委員会の命令ひとつで警察が誰かを逮捕すると、検察は同じ政法委員会の命令でその人を送検し、そして裁判所は同じ政法委員会の指示に従ってその人に対する判決を出すのである。

その際、警察が政法委員会の命令で逮捕した人間を、検察は送検を拒否することもできなければ、裁判所は無罪の判決を出すこともなおさらできない。

形式的な弁護士制度はあるとはいえ、政法委員会の前には無力だ。逆らえば、その弁護士自身が政法委員会の命令で逮捕されてしまう。

たとえば政法委員会がA氏を〝殺したい〟ならば、警察は命令されたとおりにA氏を逮捕し、検察は命令されたとおりにA氏を送検し、そして裁判所は命令されたとおりにA氏に死刑判決を下せば、「一丁あがり」なのだ。

そして中国のメディアを支配するのは、党中央宣伝部だ。各メディアはここの指示に従い、共産党を賛美・称揚する社説やウソの記事を書き、その一方では本来伝えるべき事実を隠蔽するわけである。つまり、中国のメディアの仕事は本来のジャーナリズム的な意味合いは一切なく、党中央宣伝部の命令に従って党のための宣伝工作を行うことである。

外交についても当然ながら、共産党の指導下にある。各国に置かれる中国大使館、領事館は習近平が組長を務める「中央外事工作領導小組（委員会）」の下部組織となる。

各国の中国大使館、領事館にはすべからく党支部が置かれ、当該国の中国企業や中国人組織のなかにさらなる党の支部をつくって活動する。党からの命令があれば、当該国の企業、組織、個人はスパイ活動を行わなければならない。

「国家情報法」（2017年公布・施行）という法律に「いかなる組織及び個人も、法律に従って国家の情報活動に協力し、国の情報活動の秘密を守らなければならない」と定められているからである。だから、中国人を見たらスパイと思え、と海外で活動する中国人が疑われても仕方のないことになっている。

これが中国の現実の姿である。中国の「一党独裁」の支配力がどれほど軍隊・警察・メディア・対外に浸透しているか、おわかりいただけただろうか。

習近平独裁政治の特質　その1

すべての領導小組のトップを独占

ここでは新中国の創業者である毛沢東を目指し、その毛沢東並みの権力を掌握したとされる習近平国家主席の歩みとその独裁政治の特質に焦点をあてて、綿密に分析を行ってみたい。

序章にも記したとおり、6月30日に制定即施行された暗黒法と言うべき「香港国家安全維持法（国安法）」は、そもそも習近平のスキャンダルを暴露する一冊の本を起点としたものであった。

習近平は、同暴露本の出版をつぶすために銅鑼湾書店関係者を拉致するという野蛮な手段をとった。そこから始まった「香港の自由と民主」をめぐる騒動が沸点にまでエスカレートしていった。結果的には、習近平という指導者が自分のメンツ、あるいは権威を守るために香港国家安全維持法を成立、施行させ、香港という世界にも稀な繁栄を見せた国際都市を殺し、国際社会を敵に回してしまった。

そんな無謀な振る舞いをする独裁者・習近平とはどういう人物なのか、彼の政治の特徴はどういったものなのか、あらためて振り返ってみよう。

「領導小組政治」の積極展開

「領導小組」とは何か？　政権の中枢部に設置される「○○領導小組＝対策本部・チーム」とは、政治・経済・軍事・外交を動かす実質的な〝司令塔〟なのだ。習主席はこの政治手法を非常に好んで使っている。たとえば、共産党のなかに中央外事工作領導小組があるのだが、ここは外交部（外務省）の上に立って、外交を〝統括〟する公式部署である。

現在、習近平政権において10以上の「指導小組」が設置されており、習はそれらすべての指導小組のトップを兼任している。中国共産党の政治・経済・軍事・外交を動かす司令塔の頂点を習近平自身が担っていることになる。早い話、権力を独り占めしているわけだ。習近平主席が兼任する「指導小組」の一部は以下のとおり（一部、委員会に格上げ）。

- **中央全面深化改革委員会・主任**
- **中央財経指導委員会・主任**
- **中央外事委員会・主任**

・国防及び軍隊改革深化指導小組・組長
・中央インターネット安全委員会・主任
・中央対台湾工作指導小組・組長

もちろん習近平は上記以外に、以下の公式肩書をもっており、権力の〝亡者〟と言われる所以(ゆえん)である。

・中国共産党中央委員会総書記
・中国共産党中央軍事委員会主席
・中国国家主席
・中国国家軍事委員会主席
・中国国家安全委員会主席
・中国軍民融合発展委員会主任
・中国審計委員会主任

つまり、習近平がすべての権力を握り、すべての意思決定を行うという極端な独裁体制になっているのが、現政権最大の特徴であろう。そしてもうひとつの大きな特徴は側近政治といえる。

側近政治の横行

習近平「子分・お友達政治」の実態を明らかにしよう。

中国共産党中央政治局は、中国共産党を指導し、政策を討議・決定する機関。最高指導部である共産党政治局の25人の委員のうち、習主席の子分、お友達、幼なじみは実に13人、過半におよぶ。このお手盛り人事には驚くと同時に呆れる。以下は代表的な5人である。

丁薛祥（ていせつしょう）　党中央弁公庁主任（官房長官）、習が上海勤務時代の部下

黄坤明（こうこんめい）　党中央宣伝部長、福建省勤務時代の部下

陳希（ちんき）　中央組織部長、清華大学時代の同級生、学生寮で4年間同室

劉鶴（りゅうかく）　副首相、経済政策担当、中学校時代の同窓（先輩）

張又侠（ちょうようきょう）　人民解放軍上将（大将）、党中央軍事委員会副主席、父親同士が親友、幼なじみ

このように中国共産党の中枢を担う重要ポストは、習近平のお仲間により占められている。習近平が全権をほしいままに握り、その補佐役はなあなあの子分やお友達。まさしく側近政治の極めつけにほかならない。

「思想」をもつ「教祖様」の誕生

２０１７年10月の共産党大会において、「習近平思想」が党・国家の指導理念として党規約に盛り込まれた。これは中国共産党にとりきわめて重大なことであった。共産党の歴史上、個人の名前を冠とする思想が党規約に記されたのは３人のみ。

１番目は毛沢東。中国共産党をつくった人物だから、「毛沢東思想」が党規約に盛り込まれたのは当然といえば当然だった。２番目は毛沢東の後継者で、改革開放を設計し、中国を世界第２位の経済大国へと押し上げた、いわば中国の中興の祖であった鄧小平。ただし鄧小平の場合、思想という冠は使わず、一段格下の「鄧小平理論」として党規約に記された。

鄧小平後の指導者である江沢民、胡錦濤（こきんとう）は独自のスローガンを掲げたものの、毛沢東あるいは鄧小平のような扱いはされなかった。

そして３番目に党規約に取り入れられたのが「習近平思想」であった。鄧小平は「理論」

に留まったが、習近平は毛沢東と肩を並べる「思想」である。このことは習近平が単なる政治的指導者ではなく、思想の指導者になったことを表している。

仮に中国共産党がひとつの宗教団体であるならば、これにより習近平は完全に「教祖様」になったのだ。

実質上の「終身独裁者」

２０１８年3月、全国人民代表大会で憲法を改正、国家主席の任期の「2期10年制限」を撤廃した。撤廃の理由は誰にでもわかるだろう。これで習近平は死ぬまで国家主席、終身独裁者でいられることになったわけで、非常に恐ろしい憲法改正がなされたといえる。

これは習近平が名実ともに第2の毛沢東になったことを示している。文化大革命時、毛沢東は神のように崇められ、中国という大国を完全に支配、中国人民は暗黒の時代を経験した。ふたたび中国はその愚を繰り返そうとしている。

それは人民日報の紙面を見ればよくわかる。いまや人民日報の第1面は習近平に独り占めされており、人々は「習近平日報」と呼んでいる有り様である。

こうして習近平は独裁者になることに成功し全権限を握ったが、彼の行う政治はどのようなものなのか。

支離滅裂の気まぐれ政治

一例をあげよう。2019年1月、習近平主席は「一国二制度による台湾統一構想」を打ち出し、台湾に対話を呼びかけた。台湾を懐柔するなか、同年夏から香港の逃亡犯条例を改正しようと画策、香港の一国二制度を破壊する動きを見せた。そのきわめつけが2020年6月末に習近平が主導した「香港国家安全維持法」の成立、即施行であった。習近平は「一国二制度」はただのウソであることを自ら証明してみせたわけで、このような支離滅裂な政治は前代未聞といえる。

この香港の一件を受けて、台湾の蔡英文(さいえいぶん)総統は「一国二制度は不可能と証明された」と言及したが、それを証明したのは習近平、その人であった。

習近平独裁の特質　その2

父親の失脚とおおいに関係する習近平の人格形成

ここではまず習近平の少年時代にさかのぼり、その人生体験から形成された人格や本性をあぶり出してみたい。

少年期に舐めた辛酸

父親の習仲勲は毛沢東政権で国務院副首相を務め、当時の周恩来首相の右腕と言われた高官だった。そのため習近平は特権階級の子弟として、優越感に満ちた少年時代を過ごしたが、突然、人生は暗転した。

文化大革命の最中、習近平が9歳のときに、父親が毛沢東の粛清に遭い、党から追放されたからであった。ここから習一家の地獄の日々が始まった。

失脚した父親は中国中部の工場送りとなり、習近平は16歳のときに陝西省延安市延川県の貧しい山村に「下放」された。生き延びるため、彼は村人たちに苛められないよう、みなに媚びまくって生きた。これが習にとり、強烈な人生体験となり、彼の人格形成の基礎をつくったと思われる。ちなみに下放とは、当時の中国共産党政権が都市部の知識人、若者たちを農村に送り込む政策で、そこで農民同様、肉体労働を強いられた。

少年時代に体験した激しい浮き沈みから、習近平は権力の大事さを肌で学び、強い権力志向が形成された。振り返ってみれば、父親に権力があったときには自分は特権階級として人を見下ろしていたが、いったん権力を失えば誰からも苛められる立場に追いやられてしまった。この時点で、彼は「世の中は権力がすべてである」と認識するに至ったのであろう。

5年間の下放時代に身につけたこと

農村で生き延びるため、彼は自分よりも上にいる人に迎合する技術を身につけた。だが、迎合とゴマすりで権力と地位を手に入れた人間は、普通の人よりも傲慢になりがちである。それまで苛められた分の〝反動〟が出て傲慢になり、媚び続けてきた反動として、下の者が媚びてこないと気が済まない。

習近平の指導者としての姿を見ていると、不幸な体験から上記のとおりの人間になってしまったようだ。

出世のキーパーソンは江沢民派の賈慶林と張徳江

頼りは親の七光り

21歳のとき、習近平は当時の周恩来首相の配慮で清華大学に「裏口入学」を果たした。25歳で卒業すると同時に、復活した父親の親友で副首相兼中央軍事委員会常務委員の耿(こう)

颷の秘書になり、政治の世界に入った。まさしく親の七光りに導かれているといえよう。
28歳のときには、父親の部下や親友がトップを務める河北省定県共産党副書記に就任。その後、福建省厦門市の副市長へと転職し、出世街道を歩み始めた。

権力者に取り入るのが出世のコツ

習近平の足取りをたどってみると、福建省勤務時代（1985年〜2002年）がきわめて長期に及んだことがわかる。以下はその経緯。

厦門市副市長→福州市共産党書記→福建省共産党副書記→福建省省長

習近平が福建省で順調に昇進できた理由は、父親の七光り以外に賈慶林に取り入ったことに尽きた。

賈慶林は1985年から96年まで福建省共産党委員会組織部長、福建省省長、福建省党委書記を歴任。ことのほか習近平を可愛がり、昇進をアシストし続けた。後に賈慶林は北京市長、共産党政治局常務委員に昇進している。

ところが、17年間とキャリアのほとんどが福建省だった習近平は、地方の指導者としてまったく実績を残すことはなかった。したがって、福建省においては非常に評判が悪かった。それを証明するエピソードが語り草となって残されていた。

党内選挙の最下位当選がもたらしたもの

１９９７年、第15回共産党大会にて「党内民主」の初めての試みとして、中央委員会委員・候補委員の選挙が実施された。選挙の結果、当時、福建省共産党副書記だった習近平は当選したものの１５１名の候補委員中、最下位当選であった。本来なら落選であったところを、中央指導部が父親の習仲勲のメンツを立てるため、習近平の名前を当選者名簿の最後に付け加えたのである。ここでも父親の七光りに救われているわけだ。

この当選順位最下位から浮き彫りとなったのは、当時の習近平の評判の悪さであり、人徳と能力の欠如であろう。人徳もしくは能力があれば、このような惨めな結果は招かなかったはずであるからだ。この民主的選挙の屈辱は、無能にして人徳に欠ける習近平の「民主主義嫌い」を増幅させ、権力者としての独裁志向を強める結果となった。

江沢民派大幹部の知遇を得る

福建省勤務時代の習近平の大きな後ろ盾となった賈慶林は、１９８９年に起きた六四天安門事件直後から共産党総書記を務めることになった江沢民の親友であった。賈は後に共産党政治局常務委員へと昇進し、江沢民派の大幹部となった。江沢民派の支配は89年以降、13年間続いた。

２００２年から5年間、習近平は浙江省共産党副書記、浙江省省長代行、浙江省共産党委書記を歴任。その間、前任の張徳江（ちょうとくこう）浙江省共産党書記の知遇を得た。張徳江は後に共産党政治局常務委員に昇進、賈慶林と同様に江沢民派の大幹部となった。

こうして習近平は無能でありながらも、賈慶林・張徳江という２人の江沢民派大幹部の知遇を得たことで、事実上江沢民の子分となり、それが後の大出世の決め手となった。

２００７年の第17回共産党大会において、胡錦濤元主席の後継者を決める際、江沢民派は李克強（りこくきょう）を推す胡錦濤派との権力闘争に勝ち、習近平を後継者に据えることに成功した。

２０１２年第18回共産党大会をもって胡錦濤ら第４世代は引退し、直後に開催された第18期１中全会において習近平は党の最高職である中央委員会総書記、加えて人民解放軍の統帥権を握る党中央軍事委員会主席に選出された。ここから独裁者習近平の道程が始まったわけである。

悪夢だった毛沢東時代

民衆がストレスを発散させる場だった公開処刑

さて、習近平が憧れ、目指す毛沢東とはどのような共産党独裁政治を行ったのか。もし中国でそれが繰り返されるならば「悪夢」としか言いようがない。

毛沢東時代には農民たちの土地はすべて奪われ、人民公社の管理下に置かれた。収穫物は自分たちのものにならず、最低限の食糧だけが配分された。不思議なことに、そういう環境になると国民は徐々に政府に依存し始め、配給のときに感謝の意を示すようになった。

一方、毛沢東は酒池肉林の毎日を過ごしていた。彼のために1週間の献立をつくる食事班があって、ある日は西洋料理のフルコース、別の日は満漢全席と清朝末期の権力者の西太后（せいたいこう）も真っ青の贅沢三昧（ぜいたくざんまい）であった。だが、国民に向けては「むやみに食べる必要はない。繁忙期によく食べ、閑散期はお粥（かゆ）でしのげ」と叱咤した。

毛沢東がえげつないのは食欲のみならず、性欲すらも〝統制〟したことだった。毛沢東時代の中国国民は実に禁欲的な生活を強いられていた。

だが、国民が幸せを感じる瞬間が1年に1回あった。それが建国記念日の10月1日。その前日、1世帯につき500グラムの豚肉が配給されたからだ。さらに、それと同時に50人の犯罪人の公開処刑が実施された。

当時、私の友人の父親は公安局に勤めていたのだが、建国記念日の1週間前になるとにわかに忙しくなった。50人の銃殺者を揃えるために奔走しなければならなかったからだ。罪名など何でもよかった。政府は処刑者の頭数確保のためにわざわざ「悪攻罪」をつくった。たとえば、毛沢東の顔写真が載る新聞紙を使って野菜を包めば、悪攻罪として認定された。滅茶苦茶だ。

当日、処刑される人間は1人ずつトラック50台に乗せられ、数時間にわたり市中を引き回された。残酷な話だけれど、当時の子供たちはワクワクしっぱなしで、引き回しはディズニーランドのパレード、公開処刑はサーカスがやってきたような感じだった。恐ろしいことに、民衆がストレスを発散させる場でもあったのだ。しかも同時に、鈴なりになった見物人全員に対し、「共産党に楯突（たてつ）いたらこうなるのだぞ」という恐怖を植え付けられる相乗効果もあった。

この公開処刑は鄧小平時代にいったんなくなったのだが、習近平政権になってから復活していることを伝えておこう。

やはり、恐怖政治は効果があるわけだ。習近平の政治手法は毛沢東と一緒で、人権的な発想は皆無である。

毛沢東の共産革命はコンプレックスの〝捌け口〟

毛沢東は、人間的な生き方を無視して無慈悲な支配装置を構築してしまった。その代表が人民公社であった。

かつての中国の農村はひとつの共同体をつくり、そのなかで相互扶助していた。ところが、人民公社によって、そうした伝統的な社会はすべて収奪、破壊された。人民公社に苛め抜かれた農民たちはどんどん残酷になっていき、怒りの矛先は地主階級に向かっていった。

知識人階級も地主と同じ目に遭った。農村社会に追われ、農民たちよりも下の立場に追いやられた。農民たちは知識人も苛めの対象にした。そして文革が始まると、次の対象者は共産党幹部だった。

毛沢東の共産革命は高邁な理想の実現などではなかった。彼のコンプレックスの〝捌け口〟であったというのが本当であろう。

青年時代の毛沢東は知識人になることを夢見ていた。それでさまざまな伝手を利用して、北京大学に潜り込んだ。けれども、毛沢東の当時の学力では北京大学への入学は夢のまた夢。そこで大学の図書館館長、李大釗が同じ共産主義者の誼もあって、彼を司書補に引き立てた。

しかし、北京大学の学生たちは地位の低い毛沢東には目もくれなかった。女子学生も名家の出が多く、農村出身の毛沢東など歯牙にもかけない。

こうした屈辱的な経験を積んで、毛沢東の思想の基礎が出来上がったと言っても過言ではない。「いつか出世して、おまえたちを支配下に置いてやる」と誓った。

1921年、上海で中国共産党大会が開催されたときに毛沢東は参加、共産党に深くかかわるようになり、頭角を現していった。結果的に中国の最高指導者になると、歴代の皇帝と同じようなことをした。まずは手当たり次第、女性を自分のものにした。そして、知識人を徹底的に弾圧し、怨念を晴らした。

共産主義革命は平等を目指していたが、結果的に生まれたのは不平等社会であった。90%の人々が貧しく、9%の人間が特権を握り、残りの1%が権力を濫用する。いまの中国社会もそれを倣っているのである。

習近平を「マフィアのボス」と痛罵した中央党校元教授

海外のSNSに拡散された共産党きっての開明派の本音

　この見出しに仰天した方も多かったと思うが、何を隠そう私もこのニュースを知って驚いた1人である。

　まずは中央党校から説明しなければいけないだろう。中央党校の正式名は「中国共産党中央党校」で、共産党中央委員会直属の教育機関。要は、共産党の高級幹部を養成する機関である。党中央委員をはじめ共産党のエリート集団に入る前にここでエリートにふさわしい教育を受けることになっている。

　今回の仰天発言の主は、共産党エリート養成機関として仰ぎ見られる中央党校の共産党党建教研部元教授の蔡霞（さいか）氏、68歳であった。しかも、彼女は習近平国家主席と同じく、共産党元高級幹部の子弟である「紅二代」という血筋をもつ、かねてより共産党内において改革的理論を展開する「開明派」として知られる人物。つまり、習近平の政策に対して批判的立場をとっていた。

先般、その蔡霞氏が関係者の集まりにおいて習近平および習指導部を延々とこきおろした。その録音音声が海外のSNSで拡散されており、私もその録音全体を入手、じっくりと聴いてみた。

まずは、この録音音声が蔡霞氏のものであるかどうか、を吟味しなければならない。実は私は、かつてネット上で彼女の講演を聴いたことがあった。録音の声、口調から、私は本人だと判断した。

念のために、産経新聞の台北支局長を務める矢板明夫氏に確認を求めた。彼とは昵懇(じっこん)で、『私たちは中国が世界で一番幸せな国だと思っていた』(ビジネス社)という共著まで出している。彼の返事はこうだった。「私は北京総局時代に、直接、蔡霞氏に会って取材した経験があります。これは間違いなく、彼女の声ですね」真贋(しんがん)問題はこれでクリアできた。

中国は5年以内に乱世となる

私なりに蔡霞元教授の内部発言の要点を整理してまとめてみた。やはり強烈である。

①「主要指導者(習近平を指す)が9000万人の中国共産党員を奴隷化し、党を個人の道具にした。共産党はもはや『政治的僵屍(キョンシー)』と化した。僵屍とは香港映画でお馴染みに

なった、硬直した死体を意味する」

習近平は中国共産党内で独裁体制を完全に確立、9000万人いる共産党員の誰ひとりとして彼に楯突くことができない。「共産党員すべてが習近平の命令で動くだけのマリオネットになっている」と彼女は喝破している。

②次はさらに強烈度を増している。「絶大な権力をもって『マフィアのボス』となったあの人には『認知的障害』があるから、彼についていけば未来は真っ暗、トップの交代以外に共産党と国家を救う道はない」

私は「虎ノ門ニュース」などネット番組に招かれたとき、習近平国家主席のことを「マフィアのボス」と表現してきたけれど、共産党のエリート養成学校の教授まで務めたひとかどの人物が、もちろん名指しではないとはいえ、私同様に「マフィアのボス」と示し、ちょっと言葉的に問題のある「認知的障害」があるとまで言い放ったのは衝撃であった。

われわれが認識しなければならないのは、これが共産党を救う、共産党を守る立場から出た発言であることだ。いかに彼女が共産党の現状を憂いているのかが伝わってくる。

③そして蔡霞元教授はこう締めくくっている。「しかしあの人は軍と警察をしっかりと握っているから、トップの交代は無理かもしれない。それでも中国の体制の崩壊は避けられない。5年以内に、中国は再び〝乱世〟になるのではないか」

中国の共産党一党独裁体制は習近平の道連れになって共倒れするのだと、彼女は予言しているのだ。

こうした蔡霞元教授の論調はこれまで中国の外ではたびたび示されてきたし、私もそのなかの1人であるが、今回の彼女の内部発言は特別の意味をもつ。共産党のエリート、知識人、理論派、開明派の代表である彼女は当然ながら、現政権の内実を知悉(ちしつ)している。知悉しているからこそ、危機感を強めたにちがいない。習近平政権がそうとうな危険水域にあるのは確かであろう。

共産党体制の崩壊にともない、天下の大乱が起きるならば、それは中国だけの問題ではなくなる。その影響は難民問題などに飛び火し、必ずや日本にも及んでくる。私がいちばん恐れているのは、崩壊する前に中国共産党政権が無謀な軍事行動に打って出ることだ。

彼女の弁を聴いてわれわれは喜ぶだけではなく、今後の中国の崩壊が何を意味するのか、日本はどう対処すべきかを真剣に考えるときがやってきた。そう捉えるべきであろう。

中国共産党は8月17日、中央党校の元教授、蔡霞氏の言論は「政治的な問題があり、国の名声を傷つけた」「党の政治規律と組織規律に重大違反した」として、蔡氏の党籍をはく奪し、年金などの退職者待遇を取り消すと発表した。

第2章

米中対決の流れを変えた北戴河会議

ニクソンで始まりニクソンで終わった対中関与政策

中国への宣戦布告となったポンペオ国務長官の演説

戦後、米中国交正常化に動いたのは1972年2月に電撃訪中したリチャード・ニクソン元大統領だった。米中共同声明を発表、事実上、戦後の米中関係がスタートした。その後、カーター大統領と鄧小平の交渉により、正式な国交正常化は1979年に成立したのだが、礎を築いたのはニクソンであった。そしてニクソン政権から、中国を豊かにし強くすればやがては国際社会の健全な一員となり、民主主義にも目覚めるであろうと期待し、〝建設的〟な関与政策に乗り出した。

以降、アメリカの歴代政権は約半世紀にわたり濃淡はあったにせよ、中国に対する認識を崩さずに関与政策を続けてきたが、それは〝幻想〟であった。アメリカは中国にまんまと騙(だま)されてきた、してやられたのだ。

トランプ大統領は7月から中国との対決姿勢を明らかに強めてきた。ギアチェンジしてきた。当然ながら、武漢ウイルス禍もトランプ大統領の怒りを後押ししている。

アメリカの新型コロナウイルスによる死者は20万人以上に達した。これはベトナム戦争で死なせた米軍兵士の数の3倍以上になる。中国はあれだけのことをしておきながら、謝罪ひとつせず、WHO（世界保健機関）を背後で操って責任転嫁を図ろうとしたり、挙げ句の果てにはアメリカが中国にウイルスを持ち込んだと主張する始末であった。

7月13日、トランプ政権は南シナ海の海洋権益に関する中国の主張を「完全に違法」と否定した。アメリカは従来の中立的な立場を転換、中国と海洋権益を争う東南アジア諸国への支持を明確にした。

翌14日、トランプ大統領はこれまで香港に認めてきた経済面などの優遇措置を廃止する大統領令に署名したと発表。さらに、中国当局者らによる香港の自治侵害に対して制裁を科す「香港自治法案」に署名、同法が成立した。これは明らかに6月30日に施行された香港国家安全維持法への対抗措置で、さっそく林鄭月娥（りんていげつが）・香港行政長官ら11人に対して金融制裁が科された。

21日には、トランプ大統領が「スパイの巣窟（そうくつ）」と指弾したテキサス州ヒューストンの中国総領事館の閉鎖を命じた。米中国交樹立以来、前代未聞の出来事であった。

そして23日、ポンペオ国務長官が中国に対する「怒りの演説」を行った。

カリフォルニア州のリチャード・ニクソン記念図書館で行われたマイク・ポンペオ国務長官の演説は、まさしく中国に対する「宣戦布告」とも呼べるものだった。アメリカの中国に対する怒りが凝縮されていた。

「習近平は、破綻した全体主義のイデオロギーの真の信奉者だ。中国の共産主義による世界覇権への長年の野望を特徴づけているのはこのイデオロギーだ。われわれは、両国間の根本的な政治的、イデオロギーの違いをもはや無視することはできない」

そしてポンペオ長官は、アメリカの失敗を認めた。

「中国とのやみくもな関与の古い方法論は失敗した。われわれはそうした政策を継続してはならない。戻ってはならない。自由世界はこの新たな圧政に勝利しなくてはならない」

さらにポンペオ長官は、中国共産党と中国人民を〝区別〟するという画期的な発言をした。中国人民に、国際社会とともに、自由のために中国共産党と戦おうと鼓舞した。

ポンペオ長官はこう喝破した。

「中国共産党は、国民の率直な意見をどんな敵よりも恐れている。その理由は、権力の掌握ができなくなること以外にない」

だから中国政府は超監視社会を構築し、言論の自由を封じ込め、その片方では大プロパガンダ戦略で世論をつくり上げてきたのである。

このポンペオ演説は「対中リレー演説」の締めくくりとなった。6月末、ロバート・オブライエン国家安全保障問題担当補佐官が演説し、「習近平氏はスターリンの後継者である」と断じて話題を集めた。7月初旬には、クリストファー・レイFBI長官が中国のスパイ活動を糾弾した。7月中旬には、ウィリアム・バー司法長官が中国企業と連携するアメリカ企業を批判した。そしてこの日、ポンペオ国務長官がトリを務めたわけである。

その演説会場がニクソン元大統領ゆかりの図書館という〝演出〟も実に効果的であった。戦後の米中関係はニクソンで始まって、ニクソンの名を冠した場所で終わりを告げた。

唐突に低姿勢に転じた中国政府

その後もトランプ政権の攻勢は容赦なく続いた。

8月6日、安全保障上の脅威だとして、中国系動画投稿アプリ「TikTok（ティックトック）」を運営する「北京字節跳動科技（バイトダンス）」との取引を45日後から禁止するとの大統領令を出した。

中国の会員制交流サイト（SNS）の「微信（WeChat）」を運営する中国IT大手、騰訊控股（テンセント）との取引も禁止するとした。

こうして7月中旬からアメリカ政府は、総領事館からIT産業までの中国関連のターゲットに対して怒濤（どとう）のごとくの制裁措置を発動し、南シナ海問題や香港問題などでは中国の「核心的利益」を平気で踏みにじるような行動を次から次へととった。

アメリカによる対中総攻撃に対して、中国側はどう反応したのか？

普段は「国家の尊厳」を何よりも重んじ、「核心的利益」を死守する姿勢を一貫して示してきた中国のことだから、本来なら断固として反撃しなければならないはずであった。

実際、7月21日にアメリカ政府がヒューストンの中国総領事館を閉鎖したのに対し、中国政府は反撃措置として、ただちに四川省成都市のアメリカ総領事館の閉鎖を命じた。

ところが、8月に入ってから、信じられないほどの異変が起きた。詳細は後に譲るが、8月5日の王毅外相談話を皮切りに、中国政府は唐突に低姿勢に転じた。

アメリカがあれほどの無慈悲さで中国の「核心的利益」を蹂躙（じゅうりん）してきているのに、中国外交の責任者たちは突如、腰を低くしてアメリカに対するラブコールを送り、対話と協調を求めてきた。このような外交行動はどう考えても、攻撃に耐えられなくなった後の屈辱の投降でしかない。

しかし中国政府はいったいどうしてこのような屈辱的で惨めな対米外交に出たのか。外交責任者が揃って対米融和姿勢を示したのは当然、中国外交の司令塔となっている習近平国家主席の指示によるものである。

ならば、対外姿勢に関しては一貫して強硬である習主席は、ここにきてなぜ屈辱の対米融和外交に転じたのか、それこそが問題なのである。

NYタイムズの「観測記事」に過剰反応を示した共産党関係者

共産党幹部の合言葉は「反美是工作、留美是生活」

事の発端は7月15日に米ニューヨーク・タイムズが掲載した記事であった。

アメリカ政府は中国共産党党員および、その直系家族のアメリカ入国の全面禁止を検討中。加えて、入国禁止措置のみならず、現在アメリカに在留する中国共産党員および、その家族の在留資格の取り消しも検討されている模様、という内容だ。

現時点においてはニューヨーク・タイムズがそう伝えただけで、アメリカ政府がそのような措置を検討しているかどうか、仮に検討しているとしても本当に実行するかどうかは不明である。

ところが、同紙が伝えた未確認情報に対して中国共産党関係者、あるいは中国政府はすさまじい反応を示している。たとえば、中国外務省の華春瑩（かしゅんえい）報道局長。彼女は同日の記者会見で、「それが事実であれば、アメリカという超大国はもはや哀れと言うしかない」と発言、外務省報道官が外国の一新聞記事に対してそれほど猛反発を見せるのは異例だ。

人民日報系の環球時報（かんきゅうじほう）の編集長は自身のブログにおいて、「アメリカ政府が仮に中国共産党員とその家族全員をアメリカから締め出すという政策をとるならば、それはいままでアメリカが中国に仕掛けた攻撃のなかでもっとも狂気に満ちたものであり、しかも邪悪なアイデアである」と非難した。

あるいは中国青年報の公式サイトを見ると、専門家の発言を引用して、「そんなことを実行したら、米中断交よりもひどい状況に陥る。われわれは米中間の本格的な衝突に備えなければならない」と伝えている。

ニューヨーク・タイムズの当該記事に対する攻撃的な反応は中国のメディア、ネット上において燎原（りょうげん）の火のごとく広がり、あたかもアメリカがすでにそのような措置に踏み切ってしまったような受け止め方になっている。

それではなぜ中国側は、ニューヨーク・タイムズによるいわば「観測記事」に対して、それほどまでに過激な化学反応を示したのだろうか？

実行されるかもしれないアメリカの措置とは、中国共産党幹部たちのいちばん痛いところを突いたからにほかならない。仮にこれが実行されると、彼らにとっては天下国家の話よりも〝一大事〟になってしまうからだ。

近年、共産党幹部たちの合言葉がある。「反美是工作、留美是生活」。日本語にすると、「反米は仕事だが、生活はアメリカだ」となる。

いまは中国外務省の幹部にしても、国営新聞の編集者にしても、表向きにはみな反米的な強硬姿勢を貫いている、しかしながら本音は、自分も自分の家族もアメリカに移って生活をしたいのである。

中国共産党と中国人民との「分断」を狙うアメリカ

これにはさまざまな実例がわかっている。たとえば、江沢民政権時代の中国軍事委員会の元副主席・張万年（ちょうまんねん）の子息張建国夫妻はアメリカへ移民した。あるいは同じく江沢民政権時代の国務院報道官（外務省報道官よりも格上）だった袁木（えんぼく）。彼は在任中にはなかなか辛（しん）

辣なアメリカ批判を繰り広げていたにもかかわらず、定年後は娘夫婦とともにアメリカに移住した。

そして先刻登場した中国外務省の名物女性報道局長の華春瑩は、サンフランシスコに不動産物件を夫婦名義で購入済みであることが判明した。さらに数ヵ月前にニューヨークの国連機関に転勤となった前外務省報道官の耿爽は、自分の転勤を機に娘をアメリカに留学させた。

結局、中国共産党の幹部たち、中国のエリートたちは習近平政権の歩調に合わせて反米的な態度をとっているとはいえ、彼らの大半はアメリカに資産をもったり、子供たちを移住させたりで、みなアメリカに憧れを抱いているのがよくわかる。

万が一にもアメリカ政府が、中国共産党党員およびその家族のアメリカ入国も、在留も許さない、アメリカから締め出すということになれば、彼らにすれば自分のみならず子供たちの未来までもが断たれてしまうことになるわけだ。だから、彼らには一大事なのである。

たとえば、アメリカ政府が南シナ海における中国の軍事行動を封じ込めたとしても、あるいはファーウェイの進出を封じ込めたとしても、また中国という国家が制裁を受けたとしても、彼ら自身には痛くもかゆくもない。だが、自分や家族がアメリカから締め出されることになると、彼らの人生設計が根底から覆されることになる。だからこそ、これまで紹介してきたような過激な言葉が発せられた。

現在、中国共産党員は9200万人だから、直系家族を含めると数億人に達すると思われる。もしもアメリカ政府が実行に移すならば、中国人は大変な打撃をこうむることになるであろう。

アメリカ政府が「そうするかもしれない」という情報のひとつに対して、中国共産党幹部たちが悲鳴を上げて猛反発を見せている。半面、このニュースを知った中国の一般市民はみなこぞって喜んでいる。ネット上で庶民の書き込みを拾ってみた。

「これは良い政策だ。トランプの爺、万歳！」

「自分は中国共産党員でなくて、本当に良かった。これからも一生、共産党には入らない」

「共産党員以外の中国人民はアメリカの政策を支持する。私は感動して涙した」

「アメリカ一国では足りない。イギリスもフランスもドイツもカナダも日本も、みんな共産党員と家族を締め出す政策を実行すべきではないか」

「これでは中国の腐敗幹部はアメリカに入ることはできない。だから、わが国の政府はアメリカの政策をむしろ歓迎すべきではないか」

以下は私の推測である。

仮にアメリカが本気でそうした措置をとるならば、アメリカの意図、狙いが浮き上がってくる。それは中国共産党と中国人民との「分断」にほかならない。中国共産党の党員だけを拒否し、中国人民については拒否しない。

するとどうなるのか。中国の一般国民はさらに明確に、自分たちは共産党員ではないという意識の深化を促すはずである。

もうひとつのアメリカの狙いは、習近平政権内部の動揺を誘うことであろう。アメリカの措置により、政権内部の幹部たちの家族がアメリカから締め出されるならば、彼らにとって死活問題となる。すると「アメリカとの関係を改善しよう」と習近平指導部に対してそうした意見をぶつけていく可能性が出てくる。あわよくば、習近平指導部内の分裂を誘うことになるやもしれない。

私自身としては、先刻紹介した中国のネット民と同じ考えだ。トランプ大統領に実行してもらいたい。実行するべきである。

別に中国人民には何の罪もない。一方、中国共産党という政党は邪悪で、世界のガンであり、諸悪の根源である。

今夏、唐突に中国からアメリカに送られたラブコール

支離滅裂な中国側の主張

8月5日と7日、中国の外交責任者の2人が相次いで米中関係に関する重要な発言を行った。大づかみに言うならば、とにかくアメリカとの関係を改善しよう、対話をしようという呼びかけである。

8月5日、中国の外務大臣の王毅が国営新華社通信の単独インタビューに応じ、その記事が人民日報の人民網に掲載された。それは「米中関係は本意ではなく、協力によって関係の発展を推進すべきである」というラブコールから始まっていた。

このインタビュー記事全体を読んでみると、王毅外相の強調したいポイントは後半にまとめられていた。箇条書きにして示そう。

・「底線（容認できる限度）」を明確にしたうえで、対抗を回避すること。
・意思疎通のルートを開通して、対話を行うこと。
・分離を拒絶し、協力関係を保つこと。

・ゼロサム的考えを捨て、責任を共に負うこと。

このなかで引っかかったのは3番目の「分離の拒絶」である。これはトランプ大統領が6月19日に述べた「中国との完全なデカップリングを選択肢のひとつとして考えている」この発言と関係するものと思われる。そのトランプ発言に対する反応が王毅外相の「分離の拒絶」という言葉に表れているのだけれど、これは考えるにおかしな話であろう。

たとえば、自分が誰かと付き合う場合、相手が自分に対して付き合いを求めてくるならば自分には拒否する権利がある。しかしながら、そもそも相手が自分から離れていこうとしているのに「拒絶」という言葉遣いは実に場違いなものだ。

王毅外相がここで拒絶という言葉を使うのは、自分がメンツを保ちながら、本音としてはアメリカから切り離されたくはない、アメリカと付き合いたい、アメリカと付き合えなくなったら困るというメッセージを送っているのにほかならない。

続いて8月7日、中国外交トップであり中国共産党中央政治局委員の楊潔篪（ようけっち）が米中関係についての論文を寄稿した。内容の大筋は王毅外相のものとほぼ同様で、米中関係を維持して安定化させろというものであった。私なりに咀嚼（そしゃく）すればこうなる。

・米中関係の維持と安定が最重要だ。
・ところが、アメリカ側は米中関係を一方的に壊してきた。
・したがって、アメリカ側は過ちを改め、中国と共に意見の違いや対立を緩和し、協力を拡大し、ウインウイン関係を構築すべきである。

これもまたアメリカに対するラブコールのようなものではあるけれど、私なりに王毅発言と楊潔篪寄稿を整理してみて、いくつかの共通点を見いだすことができた。

ひとつは、相手（アメリカ）の意向とは関係なく、「米中関係の重要性」を一方的に表明し、関係の維持と拡大を求めていることだ。周知のとおり、いまのアメリカは中国に対して、政治・経済・軍事のあらゆる面で制裁措置を発動したり、中国の封じ込めに動いている。それに対して中国は、「もうやめてください。米中関係は大事ですよ。良い関係をつくりましょう」と一方的に求めている。

先刻もふれたが、中国は中国と付き合いたくない相手に対して、付き合いましょうと執拗（しつよう）に誘っているわけである。そこまでして付き合いたいのならば、これまで自分がどれほどひどいことをしてきたのかを反省したうえで、相手と新しい関係を構築する。それならばわかる。

だが、王毅と楊潔篪のやり方は、自分たちの〝非〟を一切認めずに、米中関係悪化の責任のすべてをアメリカ側に押し付けている。考えてみれば、実に理不尽な話なのだ。自分たちがアメリカに対して関係改善や関係維持を求めながら、アメリカに反省を求めているのだから。

中国自身が関係改善を求めながら、アメリカを責めて、アメリカが米中関係を壊したと主張しているわけで、言うなれば「支離滅裂」なのである。私からすれば、中国は付き合いたくない、嫌なヤツの典型といえる。

習近平にぶつけられた長老たちの不満

それではなぜ、8月5日と7日に中国の外交責任者の2人が相次いでアメリカにラブコールを送ったのであろうか。言葉を換えれば、なぜ唐突に「対米調和路線」に転じたのであろうか？

その直前まで中国はアメリカに敵愾心(てきがいしん)を燃やして、徹底的に対抗するという意志をずっと示してきた。国民に反米意識を植え付けるために、反米映画を量産しているほどであったのだ。

こうした手の平返しの裏側に、この時期に開催されていた中国共産党恒例の北戴河会議が深く関係していると思わざるをえない。これを説明する前に、今回のキーワードともいえる「北戴河会議」について言及しておこう。以下は産経新聞による記述を簡略化したものである。

〈北戴河会議〉

場所　河北省秦皇島市北戴河
　　北京から約270キロ東に位置する避暑地
時期　通常は8月上旬頃に2週間程度
参加者　共産党中央幹部や長老、有識者ら
方式　各人の別荘などで非公式な会合や食事会を繰り返し、重要政策や人事についてコンセンサスを醸成
起源　水泳好きの毛沢東が渤海に面した北戴河を避暑地とし、党幹部らも集まるようになった

ただ現在に至っては、引退した長老たちが一堂に会するほとんど唯一の場であって、し

かも非公式ながら、現役の指導者たちと本音（不平・不満）をぶつけ合う唯一の場ともなっている。

産経新聞8月5日版は北戴河会議がすでに始まった旨を報じた。中国各紙を見ても、7月31日まで習近平や李克強の動向を伝えていたのが、8月に入ったとたん、彼らに関する報道はピタリと途絶えた。

以下は私なりに考えた「北戴河会議に参加しうる長老リスト」である。

江沢民　93歳　共産党元総書記、元国家主席（健康上の理由で不参加も）
胡錦濤　77歳　共産党元総書記、元国家主席
温家宝（おんかほう）　77歳　共産党元政治局常務委員、元首相
朱鎔基（しゅようき）　91歳　共産党元政治局常務委員、元首相
曽慶紅（そうけいこう）　80歳　共産党元政治局常務委員、元国家副主席（江沢民の名代）

今回の北戴河会議・最大のポイントは、今年に入ってからの習近平主席の失政、失敗があまりにも多いため、長老たちの不平不満が沸点に達していることであろう。私が何度も取り上げてきた一帯一路の失敗。次には香港「一国二制度」の破壊。香港の中国返還の際、重要な役割を果たした江沢民、曽慶紅は習近平の決定についてきわめて強い不満を抱いて

いるはずだ。加えて、習近平が香港をあのような形で制したことにより、「台湾統一」がますます不可能になっていること。これは長老たち全体の怒りにもなっているに違いない。

さらに経済面における米中関係の徹底的な悪化。それにともなう国際社会からの中国の孤立。もうひとつの問題は内政上のもので、習近平が集団的指導体制と最高指導者任期制を破壊したことで、これにも長老たちはおおいに不満を抱いているのは想像に難くない。江沢民と胡錦濤は共産党内規を遵守し、2期10年の任期に従った。それに対し習近平は憲法を改正してまで権力維持に執着、終身国家主席への道をつくった。「何でお前がそうなるのか？」江沢民と胡錦濤の正直な心持ちであろう。

さらに今年の長老たちは、必死になって習近平主席を責めなければならない特別の理由を抱えていた。習近平が米中関係を悪化させて、それに伴いアメリカの対中制裁が大幅に強化された。そしてその延長線上にある中国の高官、さらに長老たちがアメリカやアメリカを含むファイブアイズ（イギリス、カナダ、オーストラリア、ニュージーランド）に蓄えてきた資産やもろもろの権利が脅かされているのである。

おそらくそれでいちばん困っているのは長老たちではないか。長老たち自身は別として、彼らの家族はファイブアイズに居を構え、莫大な資産を蓄えているからだ。家族が国外退去を命じられ、資産凍結にでもなったら、それこそ彼らの「核心的利益」が無に帰す。

もはやこれ以上の米中関係の悪化は許せない。これが長老たちの本音であり、今回の北戴河会議における〝裏側〟の議題のひとつになったのであり、習近平がつるし上げになったとも伝えられた。

実際、習近平は長老たちの怒りをまともに受けてたじたじとなったかもしれない。それを受けて習近平は、外交責任者である王毅と楊潔篪に相次いでアメリカに対してラブコールを送らせた。

対米弱腰外交のツケが日本に向けられる可能性

アザー厚生長官の訪台に見る中国による恫喝外交の限界

先に恒例の北戴河会議で習近平国家主席が胡錦濤、温家宝ら党長老たちにつるし上げに遭い、対米関係の改善を迫られた可能性について言及した。

これが本当なのかどうかを見極めるリトマス試験紙は、8月9日からアメリカのアザー厚生長官が台湾を訪問、中国側がどういう反応を示すのか。これがポイントだと私は思っていた。

知ってのとおり、10日午後にアザー厚生長官は蔡英文総統と会談、トランプ大統領からの「台湾を強く支持する」とのメッセージを伝えた。アザー厚生長官は米台断交後に公式訪台した米当局者で最高位の人物であり、台湾総統と公式会談を行ったという意味はことのほか大きい。こうした外交行為はアメリカが台湾を「国家」として認める〝寸前〟にあることを表しているからだ。

1979年に台湾と断交、中国との外交関係を締結したアメリカはそれ以降、台湾に対して今回のような外交行為に踏み切ることはなかった。なぜなら中国が繰り返し「台湾問題はわが国にとり核心的利益にあたる」と主張し続けてきたからで、歴代のアメリカ政権は中国に配慮してきた。幸い、現在のトランプ政権は中国の猛反発を意に介さず、アザー長官を台湾に送り込んだ。

それに対して中国政府はどう反応したのか？

まずは事前に恫喝するのが中国の常套手段になっている。8月6日、アザー長官の訪台報道を受けて、中国外務省報道官は公式見解として、「絶対に許さない。断固として有力な報復措置をとる」と発言した。すべての中国メディアは合言葉のように、このフレーズを並べ立てた。環球時報の記事は特に激しさを帯びていた。同長官の台湾訪問に「武力行使する可能性あり」とまでアメリカを脅した。

しかし、アメリカ側は何の躊躇もなく、予定どおり訪台を実行した。その後の中国の対応はいかなるものであったのか。中台の中間線を越えて中国軍機が台湾寄りを航行したため、台湾軍機が対峙すると、中国軍機は即踵を返した。これでは恫喝にもならないし、とても有力な報復措置をとったとは言えない。

そしてアザー長官が蔡英文総統と会談を行った後、中国外務省報道官のコメントとして中国メディアが一斉に伝えたのがこれだった。「アメリカはわが国との台湾に関する約束に違反した」「わが国は一貫して米台政府間の往来に反対する」

私が気になったのは、「中国側はアメリカ側に対してすでに厳正なる交渉を行った」という報道を目にしたことであった。こういう言い方をするということは、中国側は事実上、一方的幕引きを宣言したことを意味する。

ここでのいちばんのポイントは、中国外務省報道官の口から「報復措置」への言及が一切なかったことである。

これはある意味、チンピラの喧嘩のやり方に等しい。つまり、気に入らない相手に対してあしざまに罵っても、相手が実際に実行してしまうと、約束違反だと捨て台詞を残して逃げてしまうわけである。

今回の一連のアザー長官訪台については習近平の実質上の対米敗北であり、腰砕け外交そのものであった。

強い者に噛みつかず弱い者を苛める中国の習性

こうした経緯をたどってみると、やはり北戴河会議で習近平国家主席が党長老たちに吊し上げに遭った結果、習近平が対米強硬路線から「路線転換」を余儀なくされた。その可能性はかなり高いと思わざるをえない。

アザー米厚生長官の訪台前、あれほど恫喝を行ったにもかかわらず、中国は腰砕けの外交に終わってしまった。けれども、中国政府がもっとも気にしているのはいつも自国民の視線である。中国共産党政権のプライオリティは、習近平の腰砕け外交から国民の目をそらさねばならないことだった。

そこで中国は動いた。アザー厚生長官と蔡英文総統が会談を行った8月10日、中国政府は2つの行動をとった。

ひとつは、香港問題との関連でアメリカの議員・国際人権団体代表ら11人に対する「制裁」を発表した。だが、そのリストのなかには、トランプ政権の高官は1人も入っていなかった。これは、その数日前にアメリカ政府が香港行政長官、共産党幹部らに向けて発表した制裁に対する報復措置であったはずなのに、トランプ政権を恐れて同等の報復を行えなかったわけで、まさしく茶番以外何物でもない。

もうひとつ、8月10日にとった中国側のアクションは、香港の民主派活動家の周庭（しゅうてい）（アグネス・チョー）氏と反中メディア大物経営者の黎智英（れいちえい）（ジミー・ライ）氏らを香港国家安全維持法違反容疑で逮捕したことであった。

言うまでもなく、国際社会および中国国民の注目はこの2人の逮捕劇に集中した。中国共産党にしてみれば、これによって中国国民の目を「アザー長官訪台」「習近平の腰砕け外交」からうまく逸らし、最低限のメンツを保つための「茶番劇」を打ったわけである。

いかに茶番であったのかは、逮捕された2人が翌11日に異例の速さで保釈されていることでもわかる。

結局、中国共産党とはこのように、強い者（アメリカ）にやられてしまったら、強い者に歯向かわずに、メンツを保つために自分よりも弱い者（香港）を苛めるという、非常にいやらしい面を備えている。今回もそれを露呈した。

許されない日本の八方美人的な振る舞い

それほど腐心してメンツを保ったとはいえ、習政権の「対米融和路線」はうまくいかないであろう。中国がアメリカに対していくら「対話」を求めても、トランプ政権はそれに応じない可能性が高い。なぜなら、これまで習政権との「対話」に散々、騙されてきたからである。

実際、8月17日にはアメリカ商務省は、ファーウェイ（華為技術）に対する半導体輸出規制を強化すると発表した。どうやらトランプ政権は習主席からのラブコールを無視して、中国叩きの既定方針に邁進するつもりのようだ。

トランプ政権の外交の要であるポンペオ国務長官は7月23日に行った対中政策演説において、習主席のことを「全体主義の信奉者」だと名指しで批判しながら、「中国共産党からわれわれの自由を守る」ことをアメリカの〝使命〟だと位置付けた。自由を守るための戦いに妥協の余地はない。

ところで、アメリカに圧倒された習政権が国内の権威失墜を回避するため、対日強硬姿勢に転じる戦略をとる可能性は高い。ワリを食うのは日本であるということだ。

先にも記したように、強い者に降参して失ったメンツを弱い者を虐めることで挽回するのは習政権の「習性」なのである。

矛先は日本に向かう。その兆候はすでに垣間見えている。

先の8月10日の香港人2人の逮捕について、日本政府は中国政府に対し懸念を表明した。これに中国外務省報道官が厳しく指弾した。

「日本の内政干渉は絶対に許さない！」

批判でなく、それよりも弱いトーンの「懸念の表明」だったにもかかわらず、噛みついてきたのだ。

対米外交が弱腰になった代わりに、対日外交が強硬に転じてしまう可能性を、われわれは心しておく必要がある。

いまの米中対決はある意味では米中両国間の問題の域を超え、「自由と民主の文明社会」VS「全体主義・覇権主義の悪の帝国」の戦いになっているから、日本には「八方美人」的な振る舞いはもはや許されない。

いまこそ日本は、文明社会の重要なる一員として、普遍的な価値観とアジア・世界の平和を守るために、同盟国のアメリカと共に立ち上がるべきであろう。

幕引きの時期を迎える戦狼外交

今年になって中国で流行った言葉のひとつが「戦狼外交」であった。2015年に放映された戦争ドラマの題名だった「戦狼」がいつのまにか好戦的な中国人の代名詞となった。そしてコロナ禍以降、中国の外交部（外務省）報道官が記者会見で、欧米の政治家や報道機関を喧嘩腰で罵倒する姿をたたえ、ネット民やメディアが彼らに与えたのが「戦狼外交官」という呼び名であった。

いつも不機嫌そうな表情で乱暴このうえない論理を押し付けてくるのが外交部の趙立堅副報道局長。彼の先輩の華春瑩報道局長も、女性ながら次々と暴論を吐きまくり、外国人記者を辟易させている。彼らの好戦的な姿を見て、一部のネット民や官製メディアは快哉を叫ぶと同時に溜飲を下げている。

人民日報系の環球時報は少し前、「西側が感じた中国新式〝戦狼〟外交の挑戦」というタイトルの論説を掲載し「中国外交官の口調はますます強硬に、好戦的になっている」として、西側の目から見た中国外交官の「戦狼ぶり」を好意的に捉えたうえで、趙立堅副報道局長や華春瑩報道局長の名前を取り上げ、彼らの言動は「西側の不当な批判に対する反撃だ」と弁護してみせた。

そして論説は、彼ら報道官の姿勢変化の背後にあるのは「西側の相対的衰退と中国の崛起」だと分析し、「戦狼外交」の展開が「中国と西側諸国との間の実力変化の結果である」と論じた。

環球時報のこの論説によって、中国式「戦狼外交」が台頭してきた背景が明らかになった。つまり、自国の実力が強くなって西側を凌駕したと思ったとたん、中国の外交は「戦狼外交」となったわけである。

そこから、中国外交の本質が露呈されてしまった。彼らにとっては力がすべてなのだ。力さえあれば、どの国に対しても高圧で乱暴な態度をとっても良い。そしてこのような考え方は、いまの中国そのものではないか。

ところが、ここにきて戦狼外交を自任する外交部の態度が変わってきたのである。

8月22日、アメリカのトランプ大統領が米中デカップリングについて、以前よりかなり踏み込んで「中国との取引はしなくていい」と言及した。

すると24日、外交部の趙立堅副報道局長はトランプ発言に対してこう反応した。

「米中関係は両国人民に利益をもたらした。米中はデカップリングするのではなく協力すべきである。アメリカ側が過ちを正し、米中関係を正常軌道に戻そう」

デカップリングされたくない中国の精いっぱいのアプローチであった。

これまでふれてきたように8月上旬の北戴河会議を経て、中国の対米姿勢が変わりつつある。戦狼外交もそろそろ幕引きの時期がやってきたのかもしれない。

中国の戦略なきトンチンカン外交の末路

暴言により欧州との亀裂を深めてしまった王毅外相の愚

中国の王毅外相が8月25日から9月1日まで欧州を歴訪した。イタリア、オランダ、ノルウェー、フランス、ドイツの順に5ヵ国を訪れた。

このタイミングでの欧州歴訪には、大づかみに2つの狙いがあった。ひとつは香港問題。中国が香港国家安全維持法を強引に制定、施行したことに欧州側は強く反発した。中国と欧州主要国との関係に亀裂が生じたことで、その修復を急ぐ必要があった。

もうひとつは対米工作。北戴河会議後に習近平政権が対米強硬路線を軟化したにもかかわらず、アメリカは関係改善にいっこうに応じる気配がない。そこでEUを取り込むことで、アメリカを牽制する作戦に転じた。その重要対象は当然ながら、EUの中心国となるフランス、ドイツである。

以下は今回、王毅外相が欧州歴訪でこなした外交日程。

イタリア………外相と会談、首相とは電話会談。
オランダ………外相・首相と会談。
ノルウェー……外相・首相と会談。
フランス………外相・大統領と会談。
ドイツ…………外相・大統領と会談。

王毅外相には不本意な歴訪スタートであった。最初の訪問国イタリアでは、首都ローマまで足を運んだのに、首相と面談できず、電話会談で済ますしかなかったからだ。一帯一路に関してイタリアがEU内でいちばん良好関係にあるのに、王毅は冷遇されたのである。

オランダではブロック外相から香港国家安全維持法の施行、香港の立法会選挙の延期について懸念を示された。フランスにおいてはマクロン大統領との会談で、香港と新疆ウイグルでの人権問題が話題となるなど、中国に対する風当たりが強まったことを王毅は実感せずにはいられなかったはずだ。

王毅外相にとりショックだったのは、最後の訪問国ドイツでメルケル首相が会談に応じなかったことであろう。今回の王毅の欧州歴訪をニュートラルに評すならば、不首尾あるいはきわめて低調といったところか。

だが、その原因は王毅外相自身にあった。８月31日、ドイツ訪問中の王毅外相はチェコのビストルチル上院議長率いる90人から成る台湾訪問団にふれ、「一線を越えた。彼には深刻な代償を払わせる」と恫喝した。これに怒ったチェコ外務省は中国大使を呼び猛抗議、両国間関係は急速に悪化した。

この「王毅暴言」により、今回歴訪で中国が取り込もうとしていたフランス、ドイツとの関係がこじれてしまった。

フランス外務省は９月１日にわざわざ声明を発表、「ＥＵ（欧州連合）の一員に対する脅しは受け入れられない。われわれはチェコと連帯する」と王毅暴言を批判した。

ドイツのマース外相は王毅との共同記者会見の場で、チェコ外相と電話会談したことを明らかにした上で、「脅迫は相応しくない」と王毅暴言を批判する一方、香港国家安全維持法について「法の影響を懸念している。一国二制度は完全に実施されるべきだ」と要求した。

これはきわめて稀なことではないか。外交においては、密室の会談ならば相手を批判したり応酬したりする場面はよくあるのだが、共同記者会見の場で公然と相手を批判するのは非礼にあたる。特に相手はメンツを大事にする中国の外相だ。まさに王毅は顔面にパンチを見舞われて、傷心の帰国となった。

以上のように、王毅外相によるEU取り込み工作は失敗に終わった。仏独との亀裂は修復するどころか、亀裂はさらに拡大してしまった。王毅外相は自らの外交工作を自らの暴言で壊してしまう愚を犯したわけだが、それはもはや「お笑い」のレベルとしか言いようがない。

「合従連衡」を生んだ中国の外交の没落

けれども、これは王毅外相だけの問題ではない。いまの中国の外交全体が私にはトンチンカンにしか見えない。何をやっているのか理解不能なのである。外交戦略もないし、したたかさも、巧みさも見られない。あちこちで喧嘩を売っては反発を招く。あるのは見込み違いばかり。それが一気に露呈しているのがいまの中国外交の現実の姿なのだ。

アメリカとの対立は深まる一方で、中国の劣勢は否めない。カナダ、オーストラリア、インドなどアジア・太平洋国家との関係が悪化、中国の孤立化が進むなか、今度はチェコ虐めで仏・独との亀裂を深め、欧州のつなぎ留めに失敗した。

四面出撃の「戦狼外交」が招いた結果は四面楚歌であった。ここまで下手くそな中国の外交はかつて見たことがない。

考えてみれば、古くから中国は外交上手であった。たとえば紀元前の戦国時代にはすでに「合従連衡」という外交戦略が存在していた。いまでも日本語の四字熟語になっている。

この時代では楚、秦、魏、趙、燕、斉、韓の7つの国が覇を争っていた。急速に軍事大国化した秦に対抗するため、ほかの6ヵ国が同盟を結んだ。これが合従の意味である。しかし、したたかな秦は6ヵ国と個別に同盟を結ぶという連衡策をとり、合従を破った。

いまの中共についてはどうだったか。たとえば毛沢東時代の外交を振り返ってみよう。毛の外交は、「統一戦線外交」であった。1950年代、朝鮮戦争への参戦でアメリカと敵対関係になった。アメリカと対抗するため、中国は旧ソ連を中心とする社会主義陣営の国々と連携した。

ところが、1960年代後半から旧ソ連と敵対関係になると、1972年にニクソンの電撃訪中を受け入れて、アメリカや日本など西側陣営との関係修復を図った。

中国は主敵国を認定すると、そこと戦うためにできるだけ主敵国の周辺の国々、あるいは主敵国と対抗する国々と連携して主敵国と戦ってきた。その意味では戦国時代の合従連衡の外交戦略を用いていた。

鄧小平時代になると、今度は「全方位外交」を貫いた。1980年代、中国は欧米、日本などの先進国と全面的に関係改善を行い、技術・資金を導入して、経済成長を図った。

1990年代以降、江沢民政権は反日教育による日本叩きをしながらも、欧米諸国との協力関係を強めていった。

胡錦濤政権においては、再度全方位外交を進めて、2008年の北京五輪を成功させ、経済大国として躍進した。

では、いまの習近平時代の外交は何なのか。一言で括るならば「戦略なきトンチンカン外交」である。繰り返しになるが、胡錦濤政権の全方位外交の真逆、全方位出撃という戦狼外交。それが招いた結果が米中対立の激化であり、中国の孤立であり四面楚歌であった。

江戸時代にできた「売り家と唐様で書く三代目」という言葉があった。

習近平が唐様を描けるかどうかは知らないけれど、毛沢東、鄧小平に続く三代目皇帝の手によって中国がつぶされてしまう可能性もなきにしもあらず、ということだ。

『広辞苑』によると、「初代が苦労して作った家屋敷も、三代目となると売りに出すことになる。商いをおろそかにし中国風の書体などを凝って習ったおろかさが『売家』のはり紙にあらわれていることを皮肉った句」とある。

第3章

ウイルス拡散の責任を絶対に認めない中国

衛生部門の幹部が招聘されなかった「感染症対策本部」

武漢でのウイルス拡散を中国政府が初めて公式に認めたのは1月20日であった。その5日後、「感染症対策本部」が発足した。トップは李克強首相。それはいいとして、副リーダーの名前を見て、私は「やっぱりな」と思った。最高指導部である中国共産党中央政治局常務委員会のメンバーの1人（序列5位）、王滬寧（おうこねい）であったからだ。

王の担当はイデオロギーと宣伝である。中国宣伝部部長も対策本部に招聘されていた。ところが、衛生部長や国家衛生健康委員会委員長は、参加していない。そこが中国たる所以（ゆえん）である。中国共産党は「感染症対策＝宣伝工作」と捉えているのだ。人民の命を守ることよりも、宣伝工作によって、人民をいかに騙し、国際社会の目をいかに欺くかを重視するわけである。

武漢ウイルスはなぜパンデミック化したのだろうか？　その最大の理由は、中国政府が情報を隠蔽し続けたために他ならない。12月中旬から武漢市内でウイルスが蔓延、同月下旬には李文亮医師がネット上でその危険性を訴えた。周知のとおり、彼はデマを流したとして処罰され、その後彼自身も感染し命を落とした。

こんな状況に陥っていたのに中央の宣伝機関は北京の専門家を使って「今回の病気はヒトからヒトへは伝染しないので安心してください」と喧伝する有り様だった。これを鵜呑みにした武漢市民は春節間近もあって、大人数が1ヵ所に集まり、飲食に興じた。それが感染を爆発的に拡大させた。

運悪く春節前だったことから、中国中部の大都市の武漢からウイルスを保持した出稼ぎ労働者や学生の帰省ラッシュが始まり、その移動に伴ってウイルスは中国全土に広がっていった。

また中国が空前の海外旅行ブームだったことも災いした。武漢市民をはじめとする中国人が日本や欧米に大挙して押し寄せた。このように、感染拡大の責任は情報を隠蔽した中国共産党指導部にあったことは間違いないし、本人たちも自覚している。だが、自分たちに責任があるとは絶対に認めない。国際社会のみならず、人民に対しても。

ではなぜ中国は隠蔽に走り、対策に向かわなかったのかといえば、中国共産党一党独裁体制がそうさせたと言わざるをえない。特に習近平政権以降、中国は習近平の個人独裁体制と化した。

大国でありながら、政治・経済・外交はじめありとあらゆることが、習近平の目を通さないと誰も動かないし、何も進まなくなった。

情報公開についても、すべて中央政府の判断に委ねられる。胡錦濤時代の集団指導体制であれば、おそらく武漢から報告が上がったとき、担当官が自ら判断し、中央政府を動かしたと思う。けれども、いまはすべて〝習近平様〟にお伺いを立てねばならない。

習近平も人間だから、1日24時間、処理できる仕事の量には限界がある。しかも、彼は決して判断能力の優れたトップではない。むしろ愚鈍だ。だから、案件処理も滞ってしまった。

側近政治だから、まわりは習近平に忖度(そんたく)して、案件の優先順位を決めて進言する。しかも習が喜ぶような情報ばかり。習近平政権が武漢ウイルスを公式に認めたのは1月に入ってからで、すでに手遅れであった。

最高指導者と地方幹部との泥仕合という珍風景

そんな中国共産党の内部でおかしなことが起きていた。

2月15日、中国共産党中央委員会の機関誌「求是」のウェブサイトは、2月3日に開かれた共産党政治局常務委員会での習近平主席の講話を全文で掲載した。

　この常務委員会は喫緊の課題である新型肺炎の対策会議だから、習の講話は当然、肺炎対策を内容とするものである。しかし、講話冒頭の習の言葉を読んだとき、私は大きな違和感を覚え、また失笑を禁じえなかった。

　習は開口一番こう語った。

「武漢の新型コロナウイルス肺炎が発生した後、私は1月7日に中央政治局常務委員会を開催し、そのときに新型コロナウイルス肺炎の予防活動に関して要求を出した。1月20日には病気に対する予防と抑制活動に関する指示を出し、各レベルの党委員会と政府および関係部門が人民・民衆の生命の安全と健康を第一に置き、有効な対策を実行し、何としても病気の蔓延を食い止めよと指示した。

　1月22日、病気の急速な蔓延とそれに対する予防と抑制活動の厳しさを考え、私は湖北省に対して人員の流出を厳格にコントロールするよう要求した。旧正月の元日（1月25日）、私は再度、政治局常務委員会を開き、病気に対する予防と抑制、特に患者の治療についての再研究と部署の見直し、要員の再動員を進め、中央疫病工作指導小組の設立も決めた」

　以上は「求是」に発表された習近平講話の冒頭部分である。要するに、「疫病対策」において自分自身がどのような行動をとって、どのような指示を出したのかを時系列に羅列したものだ。

なぜ「周知の事実」を改めて？　まず疑問を感じたのは、彼が政治局常務委員会でそんなことを言う必要がどこにあったのか、という点である。たとえば習はこのなかで、自分は1月7日の政治局常務委員会で「予防活動に関して要求を出した」と述べた。だが本来、同じ政治局常務委員会に出席していたメンバーに対して、わざわざこのことを言う必要はどこにもない。

ひと月も経っていない前の話だから、普通ならみんな覚えている。もちろん彼が羅列したほかの一連の指示や行動も、政治局常務委員会のメンバーなら誰でも知っているはずである。自分自身についてメンバー全員がとっくに知っていることを冒頭から延々と述べるのは、それはどう考えても異様であり、滑稽にさえ見えてくる。

彼はいったいどうして、そんなことをあえてしたのか？　ひとつ考えられるのは、肺炎対策における習の采配（さいはい）に対して、疑問や批判が政治局常務委員会のなかにあるから、あえてそれに対する反論、あるいは自己弁護を行った、という可能性だ。「みんな覚えているだろう？　俺は最初からきちんと指示を出しているぞ」ということである。

しかし、もし習が中央最高指導部のなかで反発や批判に遭って自己弁護に追われているのなら、それは「習近平独裁体制」にすでに綻（ほころ）びが生じていることを意味する。

習が上述の自己弁護を行ったもうひとつの理由は、周先旺(しゅうせんおう)武漢市長の1月27日のCCTV（中国中央電視台）インタビューにあると思われる。

周はそのとき、初動段階の情報隠蔽に対する批判に応えて、「情報公開の権限を上から与えられていない」と言って、責任が中央政府にあることを〝示唆〟して波紋を呼んだ。中央政府の最高責任者が習近平であることは周知の事実であり、これで習に対する不信感、批判が一気に広がった。

だからこそ習は2月3日の政治局常務委員会で「私は1月7日にすでに指示を出した」と言って、責任は自分にないことをアピールしたのだろう。しかしその意味するところ、中国共産党の最高指導者たる者と、1人の地方幹部との責任のなすりつけ合い、泥仕合である。共産党政権成立以来、初の珍風景だ。みっともない。習の権威と品位はここまで堕ちているのである。

垣間見えてくる、習主席による情報隠蔽要求

さらに興味深いのは、政治局常務委員会という密室での習の講話が、共産党機関誌「求是」によって公表されたことである。

もちろん習自身の意向を受けたものであろうが、そこからわかるのは肺炎対策の初動段階での遅れや、情報隠蔽について多くの人々が責任追及と批判の矛先を共産党総書記・国家主席に向けている、ということだ。そして習も自分が責任追及と批判の的になっているのを知っているからこそ、上記の講話をあえて公表して、全国民に対して自己弁護を行ったのである。

一国の最高指導者がこのような自己弁護に追い込まれたことは、すでにこの指導者自身の権威失墜の証拠以外の何ものでもない。しかし、習の場合、実はこの全国向けの自己弁護は逆に、彼自身をより一層の窮地に追い込んだようであった。

問題となったのは、前述の「私は1月7日に中央政治局常務委員会を開催し、そのときに新型コロナウイルス肺炎の予防活動に関して要求を出した」という発言である。

この発言がまず奇妙なのは、習は自分が「要求を出した」と言いながら、この「要求」の具体的内容に触れていない点である。冒頭から引用した彼の講話は、それ以外の自分のとった措置や出した指示について必ずやその内容に言及しているが、「1月7日の要求」にだけ具体的な内容の言及がなかった。それは何を意味するのか。

事実関係からすると1月7日以降、少なくとも1月20日までは武漢市当局や中国政府による情報隠蔽は続いていたし、政府は肺炎の拡大に対して本格的な措置を一切取っていなかった。

もし習が言うように「1月7日に要求を出した」のであれば、この「要求」の中身は「情報公開せよ、拡大防止のためにきちんと対応せよ」というのではなく、その正反対だったのではないか。

つまり習が1月7日に出した要求は情報隠蔽への要求であり、そうならば習こそ情報隠蔽の指示者、親玉だったことになる。ちょうど「情報公開の権限を上から与えられていない」という武漢市長の発言ともぴったり一致する。

習の自己弁護のための発言はまったく裏目に出て、彼自身の疑惑をさらに深める結果となった。政治指導者としての愚かさは明々白々であり、そのことはまた彼のより一層の権威失墜につながるはずである。

感染者急増の責任は誰にあるのかを知っている人民

この「1月7日要求発言」は習の指導力に対する疑念を深めた。というのも、この1月7日から20日までの約2週間、中央政府も湖北省・武漢市両政府もこの肝心の「肺炎予防活動」に本腰を入れて対策を講じた痕跡がまったくなかったからだ。そしてその結果、感染症拡大を阻止するもっとも大事な時間をロスし、武漢そして全国へのウイルスの拡散を許してしまった。

この責任はどこにあるのか？　習の「1月7日に要求を出した」発言によって、責任問題はまさに彼自身のものになってしまった。彼が出した「要求」の中身がどうであろうと、「要求」を出したことは要するに、習はその時点ではすでに新型肺炎のことを知っていて、ある程度の実態報告を受けていたことを意味する。

ならば、その日から2週間にわたる政府の致命的な不作為の責任はまさに習にある。その無責任と不作為が大変な災害をもたらした、ということになる。

しかも1月7日から20日までの間、習はミャンマーへ外遊し、肺炎とはあまり関係のない雲南省を視察して時間を費やしていた。その無責任さは余計に国民の目についたはずだ。

中国疾病対策予防センター（ＣＣＤＣ）という国家衛生健康委員会直属の研究機関は2月17日発行の専門誌「中華流行病学雑誌」に、新型肺炎の拡散に関する論文を発表した。それによると、全国における新型肺炎の感染者数は昨年12月末までが１０４人、今年1月1日～10日は６５３人だったが、1月11日～20日に５４１７人と一気に増えた。

つまり、感染者数が急増し始めたのは、まさに習が肺炎のことを知りながら不作為を続けた1月7日～20日までの間であったのだ。この数字を見た多くの人は、急増を許した責任者は習近平だと思ったに違いない。

共産党機関紙・人民日報系の環球時報がこの一件に噛み付いた。環球時報（電子版）は上述の論文を取り上げ、「1月11日～20日の感染急増は当時の病院取材とも合致する。しかし医療現場の懸念は、直ちに有効な措置にはつながらなかった」と、政府が「有効な措置」を取らなかったことを暗に批判した。

環球時報自身が意図しているかどうかはわからないが、このような批判はある意味では習への当てつけであり、それもいちばん痛いところを突くものだった。

中国における「新規感染者数ゼロ」のからくり

理由なき新規感染者数激減

3月19日、中国国家衛生健康委員会は中国国内の新型肺炎新規感染者の最新データを発表した。武漢市・湖北省を含めて18日に中国国内で発生した新規感染例はゼロというものであった。この日に新たに確認された34の新規感染例は、すべて中国本土外で感染して入国したケースであったとされる。

事実であれば、中国国内における新型コロナウイルスの拡散はこの時点で治まったことになる。問題は国家衛生健康委員会の発表を額面どおりに信じて良いかどうかであった。

実は、国家衛生健康委員会がそれまで日ごとに発表してきた新規感染者の数字を追跡していくと、不審な点があることに私は気づいていた。

たとえば2月11日から14日までの新規感染者数の推移は謎に満ちていた。11日に確認された全国の新規感染者数は2015人であったが、12日にいきなり1万5152人に急増した。前日の約7倍。しかし13日になるとまた急減して5090人と前日の3分の1しかなく、そして14日には2641人とさらに半減したのだ。

わずか4日間のこのような激しい数字の動きはいかにも不自然であった。

2月12日の新規感染者数が11日の7倍になったのは、実は数字の操作とは別の意味での人為的操作の結果であった。新型肺炎拡散の中心地である湖北省と武漢市の両方で、共産党書記の交代に伴い、新型肺炎に対する検査方法が変わったことから、両地での新規感染者数が急増したのだ。

11日、武漢市を含めた湖北省全体の新規感染者数は1638人であったが、12日にはそれが一気に1万4840人に膨らんだ。その結果として当然、全国の新規感染者数は急増した。

問題は２月13日と14日の２日間の新規感染者数の変動である。湖北省の場合、13日の新規感染者数は４８２３人だが、それは12日の約３分の１だ。12日に新しい検査方法を導入したから新規感染者数が急増したのは理解できるが、13日の数字が12日の３分の１にまで激減した理由はまったくわからない。そして14日、この数字はまた前日から半減した。

つまり12日から14日までのわずか３日間、同じ検査方法によりながら、湖北省内の毎日の新規感染者数は６分の１以下になった。このような「理由なき激減」は、果たしてありうるのだろうか。

実は２月中旬から３月初旬までの間、全国でこのような「理由なき激減」は数回起きた。２月18日、全国で確認された新規感染者数は１７４９人であったが、19日にそれが４分の１の３９４人に急減した。２月29日の全国の新規感染者数は５７３人だったが、３月１日にはそれが２０２人に半減。２日にはさらに１２５人になった。

こうしてみると、２月13日以来、国家衛生健康委員会の発表した新規感染者数は10日か１週間ほどの一定の期間をおいて、不自然な激減を繰り返していることがわかる。その結果、２月12日に１万５０００人以上あった新規感染者数が３月初めにはすでに１００人台に落ち、そして３月18日の国内の新規感染者数は０人となった。

新増ゼロと生産活動再開の両方を求めた中国政府

中国政府が主張する「新規感染者数ゼロ」の信ぴょう性を探っていくうえで、次の2人の中国国内の専門家の発言が大いに参考になった。

その1人は北京大学教授で経済学者の姚洋（ようよう）氏。北京大学国家発展研究院院長を務める学界の大物だ。

姚教授は3月13日、経済誌『中国企業家』が開設したネット番組で、新型肺炎が拡散するなかでの企業の生産活動再開について講演した。彼は「新規感染者数ゼロ」について次のように述べた。

「中央は考え方を変えるべきだ。『新増（新たに増える）ゼロ』を要求するのをやめたほうが良い。『新増感染者数ゼロ』を持続させていくのはかなり困難だからである」

経済学者の姚教授は一体どうして、「新規感染者数ゼロを求めることをやめてほしい」と中央政府に訴えたのか。その理由は彼の関心事である企業の生産活動再開と関係があった。つまり、中央政府が各地の「新規感染者ゼロ」を求めていくと、各地方政府が新規感染者を出すことを恐れて、人の集まる工場の再稼働などを制限するから企業の生産活動の再開はなかなか進まない、と言いたかったのだ。

姚教授は別のところでも同じ考えを示した。3月16日、新浪財経などのニュースサイトが姚教授の寄稿「疫病との戦いから見る現代化の治理体系（統治システム）」を掲載したが、そのなかで彼は「わが国の治理体系に問題がある」とした上で、「生産再開」と「新規感染者数ゼロ」との関連性について次のように述べた。

「中央政府は秩序正しい生産活動再開を繰り返し強調する。しかし末端にとって生産再開はなかなか難しい。なぜかというと、上からは『新規感染者は1人も出すな』との指令があるから、下の幹部たちは思い切って生産再開を進めることができない。1人でも新規感染者を出してしまったら、直ちに処分を受けるからだ」

病例の発生を報告しない者の責任を追及せよと提言した専門家

次にもう1人の専門家の発言を見てみよう。

生物学者で、深圳（しんせん）にある中山大学公共衛生学部の学部長を務める舒躍龍（じょやくりゅう）氏は中国インフルエンザセンターの主任も兼任しており、感染症分野では中国トップクラスの専門家である。

この舒氏は3月15日、上海の新民晩報で新型肺炎のコントロールについて語ったが、そのなかで彼は先の姚教授と同様に「新規感染者ゼロ」について俎上（そじょう）にあげ、「中国は（新型肺炎の）防止・制御戦略をできるだけ早く明確にしなければならないが、新規感染者数ゼロを引き続き目標にすべきではない」と指摘した。

その上で彼は、政府に対して6つの提言を行ったが、3つ目の提言として舒氏は「病例が発生した単位（機関や団体）に対して、あるいは発生地の政府に対しその責任を追及するようなことはしない。むしろ、病例の発生を報告しない者の責任を追及すべきである」と述べた。

以上は、新型肺炎の「新規感染者数ゼロ」に言及した2人の専門家の発言であるが、専門分野がまったく異なるこの2人がほぼ同じことを述べているところは実に興味深い。

まずは注目すべきなのは、2人とも政府に対して「新規感染者数をゼロにすることを目標とすべきではない」と訴えている。言い方に多少の違いがあるが、両者の訴えはまったく同じ。要するに政府に対して「新規感染者数ゼロを目標にするようなことはやめたほうが良い」と進言したのである。

そしてもっとも重要なポイントは、国内で一定の地位と立場のあるこの2人の専門家が公の発言で政府に対してそう進言しているのであれば、それはすなわち中国政府が実際に

「新規感染者ゼロ」を目標にしている、ということだ。

誰か1人の専門家が政府の「戦略目標」を誤読して勝手な解釈を行うことはありえる。しかし姚氏と舒氏という高レベルの公職にある中国トップクラスの専門家が2人そろって同じ指摘をしているのであれば、彼らの指摘は決して誤読や勝手な解釈ではなく、むしろ政府の考えを正しく捉えたものである可能性が高い。しかも、この2人の発言はいまでも検閲で削除されていないし、政府関係からは彼らの発言が間違いであるとの訂正も反発もない。

やはり彼らの言うとおり、習近平政権は早い段階から、中国における新型肺炎の新規感染者数をゼロにすることを「戦略目標」として立てていたのであろう。そして3月18日には目標どおり、武漢を含めて全国の新規感染者数が見事にゼロになったわけであった。

政府が「新規感染者数をゼロにする」という目標を立てると、2月12日に1万5000人余りいた新規感染者数が3月18日にはゼロになった。人口14億人の大国で、あまりにも出来すぎた話ではないか。

実際、2月末あたりから、武漢・湖北省以外の中国の各省・自治区の大半において、報告された新規感染者数はとっくにゼロになっていた。

どう考えても、政府の立てた目標をきれいに「達成」するための人為的操作があった可能性大だが、この「操作」の実態について、実は前述の2人の専門家の発言にヒントがある。

北京大の姚教授の発言はこうである。「上からは『新規感染者は1人も出すな』との指令があるから、幹部たちは思い切って生産再開を進めることができない。1人でも新規感染者を出してしまったら、直ちに処分を受けるからだ」

その一方、中山大学の舒氏は政府に対して次のように提言している。「病例が発生した単位（機関や団体）に対して、あるいは発生地の政府に対しその責任を追及するようなことはしない。むしろ、病例の発生を報告しない者の責任を追及すべきである」

この2人の発言を突き合わせると、中国の各地方や各機関・団体で実際何か起きているか見当がつく。

まったくわからない実際の新規感染者数

まず、上部組織が下部組織に対して「新規感染者は1人も出すな」と指令を出した。そして、実際に新規感染者を出した下の単位や地方政府の責任を追及して処分を行った。

そうなると、中国各地の地方政府や末端の単位の責任者たちは上からの追及と処分を恐れて、何としても指令されたとおりの「新規感染者数ゼロ」を達成しなければならなかった。その際、中国の幹部たちの一貫したやり方としては、実際に新規感染者が出ているかどうかは関係なく、数字上「新規感染者ゼロ」にして、上に対して「ゼロ」と報告すれば良かった。

そして上部組織もそれが〝ウソ〟だとわかっていながら、さらに上部組織へ報告していったわけである。その結果、2月末あたりから、湖北省を除いた31の省・自治区・直轄市のほとんどで、「新規感染者数ゼロ」が連日のように報告されることになったのだ。

以上が中国における「新規感染者数ゼロ」のからくりだが、実際の新規感染者数がどうなっているのかはまったくわからない。

しかし、2月中旬から数回も繰り返された「新規感染者数激減」の不自然さからしても、中央政府の定めた「ゼロ」目標のとおりに各地の新規感染者数がゼロになっていく不思議さからしても、そして前述の2人の専門家の発言からしても、中国各地で2月中旬から毎日の新型肺炎の新規感染者数に対する隠蔽などの人為的操作が行われている可能性は否定できない。

中国政府の発表した「新規感染者数ゼロ」を疑わなければならない理由は十分にある。

その後、中国政府は新規感染者数に関する報告のやり方を、各地から上がってくる毎日の報告から、ある程度の人数に達したら報じるというスタイルに変えた。そのやり方に不満を感じたのか、李克強首相が噛みついた。

李克強は3月23日の対策本部の会議で「現在、中国の大半の地域で感染者数ゼロの報告が数日続いている。だが、感染の統計データは速やかかつ偽りがなく正確でなければならず、感染者数ゼロを報告するための隠蔽や報告漏れは決してあってはならない」と述べたのだ。

ところが、人民日報はこの李首相の発言を一切無視した。だが、国務院がHPでこの発言を掲載したため、公になった。

中国にとって奇貨となった欧米の惨状

5月に始まった不気味なほど異様な習近平礼賛報道

5月15日、上海春秋発展戦略研究院という民間シンクタンクが開設するニュースサイト・

観察者網が「疫病との闘いに成功し、中国人民は自分たちの指導者をより一層信頼する（抗疫成功，中国人民更信任自己的领导人）」と題する長文の寄稿を掲載した。

執筆者の李世默（りせいもく）氏は名門・復旦大学中国研究院の研究員で、上述の春秋発展戦略研究院の研究員も兼任している。この原稿はもともと英語で書かれ、5月14日に米フォーリンポリシー誌の公式サイトで公開された（Xi Jinping Is a 'Good Emperor'）。原稿の中国語版が観察者網で掲載されたところ、環球時報など国内の著名メディアも転載し、中国国内では広く読まれたようだ。


寄稿の内容はそのタイトルのとおり、中国の指導者、すなわち習近平国家主席その人を褒め称（たた）えるものだ。

寄稿はまず、「抗疫＝疫病との闘い」において、中国は党の指導による挙国体制の下で奇跡的な勝利を収めたと賞賛的に記述した上で、記事のなかで習近平の行動や役割について次のように述べている。

「1月28日、習主席はWHOのテドロス事務局長の会談を利用して、『疫病との闘いは自分が直接に責任を取る』ことだと全国民に告げた。そのときには中国の民衆は暗澹（あんたん）たる未来に不安を抱き、指導者はかつてない大きなリスクと圧力に直面していた。しかし機会主義的な考え方や責任回避は、もとよりこの指導者の性格には合わない。(その時点では)武漢と湖北省全体に対する都市封鎖の意思決定がどのような結果をもたらすかはまったく予測できない。このような意思決定は彼1人しかできない。それがもたらす結果への責任も彼しか背負うことができない。そしていまから見れば、彼の下した武漢封鎖の決定は国家を救った。

彼は一連の中央政治局会議を主宰し、政策の指示を出し、それを公表した。彼はマスクをつけてテレビに現れ、最前線の17万人の政府幹部とボランティアを相手にテレビ会議を開いた。彼は全国民の前で疫病と戦う人民の戦争を自ら指揮したのである」

以上が観察者とフォーリンポリシー誌に載った習近平に対する賞賛の文面だが、そこでは習近平は、国民が未来への暗澹たる不安を抱くなかで、すべての責任を一身に背負って果敢な意思決定を行い、国を救った英雄的指導者として描かれていた。

5月20日、新華社通信と並ぶ国営通信社の中国新聞社も公式サイトで、「抗疫」における習近平の功績を讃える長文の記事を掲載したが、記事は冒頭からこう書いている。

「疫病を迎撃した最初の国として、中国が巨大な犠牲を払ってコロナウイルスの感染拡大を有効的に封じ込めた。この成功の背後にあるのは、最高指導者の習近平主席が『人民第一』に基づいて行った歴史的選択であり、世界の公共衛生史上前代未聞の動員である。

14億人が参加した疫病との戦いにおいて、習主席は自ら指揮をとり、自ら采配を振るった。（主席の）挙動のひとつひとつがテレビやネットで映され、人々に深い印象を与えた。その場面のひとつひとつは歴史の記憶に、そして国民の心のなかに刻み込まれた」

このように始まる記事は、続いて前述の観察者網記事と同様、武漢封鎖という「歴史的英断」を下したことや17万人参加のテレビ会議を主宰したこと、あるいは習近平が自ら武漢に赴いて視察したことなどを取り上げ、それら「歴史的場面」における習近平の采配ぶりを回顧しながら、彼の奮闘と決断がいかにして中国の人民と国家を世紀の大災難から救い出したかを縷々述べていった。

この描写から浮かび上がってくるのはすなわち、人民を愛し国を愛し、優れた決断力と指導力をもってこの国を救った英雄的な習近平像であり、中国という大国に相応しい偉大なる指導者像であった。

以上は、5月中旬の時点で中国の国内メディアで流行っていた習近平礼賛の例だが、これらは断片に過ぎない。習への手放しの絶賛はいま、中国官製の言論空間にあふれている。

今年3月初旬までの中国の国内状況からすれば、5月になってからの習近平礼賛は不気味なほど異様で、まさに隔世の感があった。

それまで国民の反発の的となっていた習近平

中国が新型肺炎の感染拡大で大災難に陥っていた1月下旬から3月初旬までの間、習に対する国内の反感と懐疑はかつてないほどに高まり、最高指導者の彼はむしろ世論の厳しい批判にさらされていた。そのときの習の言動は国内の反感と批判を買うものばかりだった。

たとえば、新型肺炎が去年の12月から武漢市内ですでに感染拡大していたのに、習近平が国家指導者としてそれを公式に認めて対策を指示したのは1月20日だったこと▼武漢封鎖が実施された23日、習近平が北京で和気あいあいとした春節互礼会を主宰したこと▼25日に中央の「疫病対策指導小組（対策本部）」が設立されたとき、習が自らトップに就任せずにして責任を首相の李克強に押し付けたこと▼李が27日に武漢へ出向いて現場を激励したのに対し、習がやっと武漢に現れたのは状況が良くなった3月10日であること……などがあげられる。

国家的危機に際して、多くの国民が見たのは決して冒頭で紹介したような「英雄的な指導者像」ではない。むしろその正反対の愚昧、無責任、卑怯といった言葉で表現される習近平像であった。その時点では、彼が長年演じてきた「責任感の強い大指導者」の虚像は崩壊しかけていた。

そのときの習近平の不人気、あるいは国民の習に対する反感の強さを示す2つの出来事を紹介しよう。

ひとつは3月6日、新任の武漢市共産党委書記の王忠林が新型肺炎への対応会議で「市民を教育し、習近平総書記や党の恩に感謝させなければならない」と発言した一件であった。

この発言は次の日の朝から、地元の長江日報の公式サイトをはじめ、国内多くのニュースサイトによって大々的に報じられたが、これに対するネット上の反発は激しかった。「武漢市民が苦しんでいる最中なのに、『総書記の恩に感謝』とは何事か」という憤りの声があふれていた。

そしてその日の午後、国内のあらゆるニュースサイトからの発言がいっせいに消された。国民の反発に驚いた当局が、発言取り消しの羽目に陥ったわけである。

そして2月末、今度は共産党中央宣伝部の指揮下で、中国中央電視台（CCTV）などが近日出版予定の1冊の本の宣伝を始めた。書名は『大国戦疫（疫病と戦う大国）』。本の内容の一部は新型肺炎への対応における習近平の「戦略的先見性」や「卓越した指導力」を称える内容であるとされていた。

しかし、それに対してネット上でやはり猛烈な批判が巻き起こった。「この惨状のなかで何が『戦略的先見性』なのか、何が『卓越した指導力』なのか」といった反発の声がネット上で飛び交った。

そして、3月1日になるとこの本の宣伝はぴたりと止まってしまい、本の発売も急きょ中止になった。いまでも、すでに印刷済みのはずの本書の出版は宙に浮いたままである。いずれも、政権側が民衆の反発を恐れてタイミングの悪い習近平礼賛を引っ込めた、という事件であった。このことは同時に、国民の習近平に対する反感と反発の大きさを示していた。

そして、先にふれたように、当時の習近平はさまざまな批判にさらされ、必死になって自分の不手際や失敗を弁護しなければならず、大変な政治的窮地に立たされていたのである。

習近平にとって名誉挽回の最大の転機となった海外の感染拡大

しかし、5月になると状況は〝劇的〟に変わった。政権内の最高指導者としての彼の地位はいたって安泰。一旦延期された全人代も無事に開幕を迎えた。そして以前よりも強まった礼賛が、いまや当たり前のように大手を振ってまかり通っている。

この数ヵ月間にいったい何が起きたのか。「習近平復活」の理由はいったいどこにあるのか。

その理由のひとつはやはり、中国国内における新型肺炎の感染拡大がある程度食い止められたことにあろう。もちろん現在でも、東北地域の黒竜江省・吉林省・遼寧（りょうねい）省では集団感染があちこちで起き都市封鎖も実施されているから、感染拡大は「完全に収まった」というにはほど遠い。しかし全体的な状況からすれば、中国における新型コロナウイルスの封じ込めは一定の成功を収めたことは事実である。

そして中国共産党の宣伝部門にとって、この一定の成功は習近平礼賛の再開と、本人の指導者としての名誉・権威回復を図る良い材料となった。

国内の感染拡大が徐々に収まっていくのに従い、中国の宣伝機関は全力をあげて習称賛キャンペーンを展開したが、そのなかで疫病抑制指導小組の責任者である李首相の最前線での奮闘はほぼ完全に〝抹消〟された。功績はすべて習1人の力というような宣伝ぶりだった。

海外の感染拡大は、習近平にとって名誉挽回の最大の転機となった。3月中旬ごろから、イタリア、スペイン、イギリス、アメリカなどの西側諸国は次から次へと新型コロナウイルスの感染拡大に襲われた。各国で医療崩壊が起き、社会が大混乱に陥って死亡者数は驚異的なレベルに達し、まさに阿鼻叫喚の惨状を呈した。

さらに西側先進国のなかで経済力がもっとも強く、医療条件の良いはずのアメリカは最悪の状況を招いた。感染者数750万人超、死亡者数21万人超（10月8日現在）を数えている。

欧米諸国がこういう状況となると、民主主義の常として野党もマスコミも当然、時の為政者に厳しい批判の矛先を向けるようになった。アメリカでは民主党はもちろんのこと、普段からトランプ嫌いの大手メディアが全力をあげて政権とトランプ大統領自身に集中攻撃の砲火を浴びせた。「無能」「無責任」といった批判が毎日のように流された。

民主主義国家のなかで政権を担当している以上、このような批判を受けるのは当たり前のことであろう。しかし中国共産党の宣伝機関にとって、アメリカ国内で巻き起こったトランプ批判はまさに奇貨そのもの。彼らによる国内宣伝の格好の材料になった。

アメリカ国内で新型肺炎絡みの政権批判、トランプ批判が起きるたび、中国の宣伝機関は喜んでそれを国内で流した。アメリカのメディアがトランプ政権やトランプのことを「無能」「無責任」と批判すれば、中国国民はたいていそれを素直に信じ、「なるほど」と思う。そして、トランプなどの西側の指導者が「無能」「無責任」であればあるほど、中国の疫病対策を成功に導いた習近平の「有能」「責任感」が証明されるわけだから。

正当化された一党独裁の挙国体制

欧米諸国における新型肺炎の感染拡大は、習近平という指導者個人を助けただけではない。それは、中国共産党による一党独裁の正当化にも大いなる助けになった。

前述のように、新型コロナウイルスが地球上で猛威をふるったなか、特に目立ったのは西側民主主義先進国における惨状であった。先進7ヵ国中でもアメリカ、イタリア、イギリスの感染状況が特にひどい。そして、こうした国内の状況は往々にしてメディアによって誇張的に報道されるものである。

もちろん中国国内の宣伝機関がこうした「奇貨」を見逃すことはない。3月下旬から現在に至るまで、中国のテレビや新聞などはほとんど毎日のように、アメリカなどのメディアが流す映像や関連記事を垂れ流し、西側諸国が大変な状況に陥っていることを中国国民に強く印象付けてきた。こうした情報操作の結果、国民は「西側諸国よりもわが国政府のほうがよくやっているのではないか」との認識を持ち、西側に対する一種の優越感さえ覚えるようになった。

人民日報や新華社通信などは先頭に立って、中国国民を相手に次のように訴えるのである。

〈ほら、自由や人権を標榜する西側「民主主義国家」は、感染の拡大を防ぐこともできずにして死亡者数ばかりを増やしている。これらの国々における感染拡大と死亡者数の増加は、個人の自由を重んじるばかりに全体の利益を無視する資本主義、民主主義の弱点のもたらした悪果ではないのか。

それに対して、わが共産党指導下の中国は、まさに党による強い指導体制があるからこそ、挙国一致体制を作り上げて感染拡大を食い止めたのではないか。国民の命をきちんと守ったのではないか。われわれの社会主義体制こそ制度的な優越性をもっているのではないか。自由より命。これが正しい〉

こうした宣伝工作の結果、いまの中国国内では一党独裁体制に対する懐疑や批判よりも、重大な危機に際しての共産党指導体制への賛美と信頼が一部エリート階層や多くの一般国民の間のコンセンサスとなった感がある。政権側の唱える「制度的優越性」はある程度の説得力をもって国内一部の共通認識となっている。

中国の民主化を望む私のような立場の者からすれば、苦笑するしかない成り行きだが、よく考えてみれば、こうなったことはまさに習近平と共産党政権にとっての怪我の功名、としか言いようがない。

本来、新型肺炎感染の初期段階で習近平政権が行った情報隠蔽こそが中国国内と世界中の感染拡大を作り出した最大の要因であって、習と中国共産党こそが災いをもたらしたA級戦犯だろう。

しかし、中国国内の感染拡大がある程度収まったなかでコロナが世界中に拡散し、西側諸国を苦しめたことは逆に、習近平自身の権威回復と共産党の体制強化につながった。まさに歴史の皮肉というしかない。習近平と共産党は強い悪運の持ち主だ。

それでは今後、習近平政権と中国はどうなっていくのだろうか？

これから、アメリカを中心にコロナウイルスを拡大させた中国の責任を追及し、賠償を求める国際的な動きが広がっていくだろう。

だが中国は当然ながら、それには一切応じずにして、徹底的に反発する。中国はいかなる責任も認めることはしない。「ウイルス拡散」の責任を認めてしまえば、それがウイルス退治の「英雄」である習近平の名前が傷つくからである。

その一方、「制度的優越性」に自信を深めた共産党政権はより一層、西側の期待する民主化への道に背を向けて、一党独裁体制の強化と永続化を目指していくであろう。それと同時に、疫病との戦いに「勝利」した習政権はますます、「中国の力」をバックに経済、軍事、国際戦略などのあらゆる側面において、アメリカとの対決姿勢を強めていくに違いない。

中国国内における専制体制の強化と米中対立の本格化、長期化こそ、「中国」を軸にして見たときのポストコロナの世界の構図なのである。

第4章

大水害と李克強の反撃

李克強排除に動き出した習近平

権力闘争に火をつけた全人代終了後の李首相の発言

7月21日、習近平国家主席が人民大会堂で座談会を主催したのだが、集まった顔ぶれを見ると異例中の異例だったことがわかる。というか、異常のほうが日本語として正しいかもしれない。

どういうことか。この座談会は国内の企業家たちを招いたもので「企業家座談会」と呼ばれるものであった。主に経済問題について討議された。

政府側からは、中国共産党政治局常務委員7人のうち習近平以下4人が出席するというハイレベルなものとなった。周知のとおり、共産党政治局常務委員はいわゆるチャイナセブンであり、共産党政権の頂点に立つ人たちである。

問題は、ここに首相かつ中央財経委員会副主任の李克強がいなかったことだ。本来ならば、経済問題を討議する座談会には首相が出席しなければならない。しかも、人民日報によると、李克強首相は海外出張、地方視察にも出掛けず、同時刻に北京市内で行われた別の会議に出席していたという。

結局、李克強首相は北京にいながら、習近平国家主席主催のハイレベルの座談会に呼ばれなかったわけである。彼自身の意志で欠席したというよりも、呼ばれなかった、シカトされた。もし呼ばれたならば、彼の立場上、必ず行っていたはずで、私はそこが大問題だと捉えている。

端的に言えば、中国の首相で、経済担当の中央財経委員会副主任の立場にある李克強が、経済問題を討議するハイレベル座談会から〝排除〟されたわけである。

習近平を除いて同座談会に出席した政治局常務委員の顔ぶれをみると、まずは王滬寧(おうこねい)が目につく。なぜならこの人はイデオロギー、宣伝工作の担当で、経済問題とは何の関係もない。これひとつをとっても、習近平が意図的に、しかも露骨に李克強を排除したことが見てとれる。

では、なぜ習近平国家主席は李克強の排除にここまで躍起になっているのだろうか。思い出していただきたいのが、5月28日のあの出来事である。

全人代終了後の記者会見の席で、李克強首相は衝撃的な発言を行った。

「中国は豊かな国ではない。実は14億人いる中国国民のうち6億人は月収1000元（1万5000円）でしかない」

この李克強の発言の政治的意味は実に重大といえる。というのは、習近平国家主席は5、6年前から、「2020年には国民全員を貧困から脱出させる」と宣言、彼の看板政策として掲げてきたからにほかならない。

それに対して李克強はこの発言で「そんなことはとんでもない。国民全員が貧困から脱出できるわけがない。いまだに貧困にあえぐ国民が6億人もいるのですよ。習近平の貧困脱出宣言は単なる大風呂敷でしかない」と国民に向かって暴露したのだった。

李克強は習近平に公然と反旗を翻した。そう受け止めた人は私を含めてかなり多かったはずだ。それ以来、李克強と習近平の確執、権力闘争は表面化し、互いに足を引っ張り合っている。

同座談会に経済にきわめて関係のある首相の李克強を呼ばなかったのは、露骨な反撃にしか見えない。自分の看板政策に文句をつけるのであれば、李克強を経済運営の司令塔から排斥してしまえ、もう李克強は不要だという〝メッセージ〟であったと考えるのが自然であろう。これで2人の権力闘争はさらにエスカレートした。

習近平がもっとも好むメンツプロジェクト

　ここであらためて同座談会に呼ばれた政治局常務委員の顔ぶれを見てみよう。先にふれた王滬寧以外に汪洋（おうよう）がいた。彼は前副首相で、現在は政治協商会議主席を務めている。もう1人は韓正（かんせい）。彼は現在副首相で、李克強首相を補佐する立場にある。

　習近平国家主席はチャイナセブンのなかから汪洋、王滬寧、韓正の3人を呼んだ。このなかで王滬寧は習近平のいちばんの側近であることから声掛けするのは当然なのだが、汪洋と韓正を呼んだ意味は何か？

　李克強を徹底的に排除した後、李克強の後任、要するに首相（国務院総理）の後釜にこの2人のうちどちらかを据えるハラなのかもしれない。汪洋（65）も韓正（66）も年齢的には李克強（65）とほぼ同じである。

　したがって、繰り返しになるが、習近平がこの顔ぶれで同座談会を開くことによって、共産党と国民に対して、「李克強を排除する」というメッセージを発信するとともに、李克強の後継者はいくらでもいることを示したのではないか。これは李克強排除の動きが本格化する予告とも捉えられる。

一方、李克強首相も習近平に対する攻撃の手をゆるめてはいない。

7月15日、首相として開催した国民会議のなかで、「中国は依然として発展途上国であり、われわれは力の程を考慮して物事を進めるべきである」と発言し、さらに「いくら中国に資金があったとしても、いわゆる『メンツプロジェクト』や『イメージプロジェクト』には使うべきではない」と言及した。

一見正論のように聞こえるけれど、中国の政治を知悉する人たちには、この李克強の発言は「習近平に対するあてつけ」であると認識できる。なぜなら、「メンツプロジェクト」や「イメージプロジェクト」をもっとも好むのが習近平であるからだ。というか、それ以外のプロジェクトはやっていないはずである。たとえば前出の「2020年までに国民全員の貧困脱出」プロジェクトもそうである。

前後するが、「中国は依然として発展途上国であり、われわれは力の程を考慮して物事を進めるべきである」との発言については、これは習近平の外交政策に対する大いなる批判にあたる。

習近平の外交方針のひとつに、アフリカや第三世界の国々へのバラマキがある。一部からはアフリカ諸国に対する債務600億ドルを放棄したとする話が聞こえてくる。李克強首相にすれば、それらは中国が途上国であることをまったく考慮しない、それこそ習近平国家主席お得意の「メンツプロジェクト」にほかならない。

当然ながら、李克強は習近平を名指しで批判することはできないので、要所要所さまざまなところで、いまでも習近平批判を展開している。

他方、習近平はすでに政治中枢からの李克強の排除を決心し、次期首相については自分の意中の人物、自分の言うことを聞く人物を据える計画であろう。

「国内大循環経済」に初めて言及した習主席

習近平は先にふれた「企業家座談会」において、注目すべき発言を行った。今後の中国経済の展望について、「われわれはこれから国内超大規模市場の利点を活かして、国内大循環を主体とし、国内・国外双循環の新しい発展態勢を形成していくべきである」と語ったのだ。

いま世界各国が中国とのデカップリングを進めているなか、習近平の経済ブレーンである劉鶴（りゅうかく）副首相が「国内大循環経済」というキーワードを掲げている。世界経済と切り離されたとしても、中国は国内大循環経済に活路を見いだすというわけである。

これまでは劉鶴副首相からの発言であったが、今回初めて中国の最高指導者・国家元首の習近平本人の口から初めて「国内大循環」という言葉が発せられた意味は重要であろう。国外と完全に断絶するのではなく、国内大循環を主体として、国内・国外双方の循環を取り入れて、中国経済の新状態をつくるのだという決意表明と受け取ってよいのだろう。

習近平政権は世界経済からの切り離し、要は世界経済のなかでの孤立化を覚悟のうえで、内向きになって、半分は鎖国的な循環経済を進めていくということが、同発言からも明らかになったわけである。

身勝手ははなはだしい中国流の「生存空間開拓論」

泄洪区を生んだ人口分布の異常な不均衡

「泄洪（せっこう）」という中国語をご存じだろうか？

大づかみに言えば、中国政府が得意とする水害対策のひとつである。具体的には、洪水が発生して、河川や湖やダムの水位が警報線を超えたときに人工的に放流口を開けて、洪水を所定の地域、事前に指定された「泄洪区（蓄洪区、分洪区）」に流し込むという方法である。

中国政府は長江（揚子江）流域だけでも44もの泄洪区を指定している。ふだんはこうした泄洪区は農耕地として使用されており、農業に従事する人たちの住宅もある。あるいは農耕地でなく、町や村落全体が泄洪区のなかに入っている場合もある。とにかく、いざ洪水となった際には、泄洪区に向かってあふれた水が流し込まれ、その結果、泄洪区のなかの町や農村が水没することになるわけだ。

7月の大洪水発生以来、中国政府は各地で泄洪を実施してきた。大規模な泄洪としては、湖北省にある漢江と丹江の合流点・丹江口ダム。そして中国で2番目に大きな湖である太湖周辺の泄洪区、浙江省建徳市の新安江ダムなどがあげられる。

特にこの新安江ダムにおいては継続した大雨による水位の上昇を受け、7月10日、初めて9門すべてのゲートを使った緊急放流を実施した。この放流（泄洪）のため5万2000人が緊急避難した一方、被災地の建徳市は水没の憂き目をみた。

安徽省の長江の支流では、安徽省当局が増えた水を放流するための緊急措置としてダムを〝爆破〟した。

湖北省荊州市公安県の泄洪区は長江に面しており、その面積は公安県の大半を占めるという大規模なものとなっている。しかも、県庁所在地の街がそのまま泄洪区のなかに入っている。仮に長江流域の大洪水が治まらない場合には、中国政府は容赦なくここに放流するはずだ。

縷々(るる)述べてきた例からもわかるように、政府が指定した各地の泄洪区には多くの人口を抱えているし、農耕地、家屋、住人たちの資産が存在する。けれども、いったん大洪水が起きると、政府により長江沿いの大都会の武漢や南京を守るために、泄洪区に放流するという〝残酷〟な政策がとられる。要するに、政府の水害対策そのものが水害をつくり出すわけである。

ここで浮上してくる問題は、なぜ中国政府が指定した泄洪区に多くの人々が住んでいるかであろう。本来ならば、いずれ水没する運命にある泄洪区なのだから、人が住まない地区にするのが普通の考え方といえる。

では、どうして人々はそのようなリスキーな泄洪区に住むようになったのか。その背景にあるのは、中国が直面する大変な国土事情と言わざるをえない。

中国の多くの地域においては人口があまりにも多すぎ、人口に比べて土地が狭すぎる。要は人口密度があまりにも高いから、リスキーな泄洪区に住むハメになったのである。結論から申し上げると、中国の国土全体における人口分布の異常な〝不均衡〟が泄洪区を生んでしまったのだ。

漢民族が引き起こした森林破壊と砂漠化

中国は14億人の人口を抱えるけれど、一方で国土面積も960万平方キロメートルと巨大である。ところが、現在の中国の国土の約半分、480万平方キロメートルについてはかつて中国のものではなかった。

要は、漢民族が住む地域ではなかったのだ。中国が侵略戦争や拡張政策を行った結果、ウイグル人、モンゴル人、チベット人たちから奪取した地域である。

それはいまで言うところの新疆自治区、内モンゴル自治区、チベット自治区、青海省。この4つの行政区の総面積は先にふれたとおり、現在の中国の総面積の半分にもなる。

実はいま少数民族と支配層である漢族が住む4つの行政区の人口は6018万人で、中国の総人口の5％未満でしかない。一方、残りの半分の面積に総人口95％が住んでいるので、土地は狭く、人口密度が非常に高くなっている。

その典型が、大水害が発生した長江中流、下流地域。湖北省、湖南省、江西省、安徽省、浙江省、江蘇省の6つの省で形成される地域。面積は90万平方キロメートル、中国の総面積の10分の1以下に留まっている。ところが、この狭い地域に中国の総人口の約4分の1にあたる約3億7000万人が住んでいるのだ。

長江沿岸地域でいずれ水没するかもしれない泄洪区であっても、他に住む土地がないのが中国の現実といえる。

さらに問題なのは、漢民族が昔から住む人口密度の高い地域で猛烈に進んでいる環境破壊である。すでに大半の森林が消滅してしまった。森林の破壊に伴い進んでいるのが砂漠化だ。毎年中国では、日本の神奈川県に相当する面積の砂漠化が進行中である。

今夏は大洪水に見舞われた中国であるが、ふだんの中国全土は真逆で、水不足にあえいでいる。そもそも水が足りないなか、その大半が汚染されている。大都市を流れる河川の9割以上が汚染されており、地下水についても7割が汚染されている。水汚染のうえに、化学肥料の乱用で土地も汚染されて劣化が甚だしい。

中華思想ときわめて相性が良い生存空間開拓論

こうした現状を踏まえて、中国国内でさまざまな議論が持ち上がってきた。

中国で人が大量に住めるのは国土の半分しかない。しかし、その土地についても環境破壊に直面している。果たして今後の中国は14億人を住まわせ、養うことができるかどうかというものだ。

こうした議論において、このところ必ず浮上してくるのが、中国流の「生存空間開拓論」という考え方で、一種のブームになっている。いまの中国には「土地」「水」「空気」「森林」などの生存空間が全体的に不足しており、今後の中国14億人のための生存空間の開拓が急務である。一部の学者やエリートたちの間にこうした論調は根強い。

しかもこの「生存空間開拓論」は伝統的な「中華思想」ときわめて相性が良い。中華思想からすれば、そもそも天下の土地はすべて皇帝のものだから、中国が領土拡大を図るのは当然のことである。だから、かつての中国には領土という〝概念〟すらなかった。すべての土地は中国のものなのだから。

そうした「中華思想」の伝統といまの「生存空間開拓論」を掛け合わせて出てくるのは何か？　やはりいまの中国の覇権主義的領土拡大、対外拡張主義なのである。

したがって、いま領土拡大を図ってあちこちに敵をつくる中国共産党政権の政策には、当然ながら習近平や共産党政権の野望もあるが、その背後には「中華思想」の伝統といま中国国内で流行っている「生存空間開拓論」が横たわっている。そこをわれわれは認識しておかねばならない。

以上のように中国の拡張主義、侵略主義には深い背景があり、われわれは決して軽視してはいけない。それを認識した上で対処すべきであろう。

中国人の生存空間が不足しているのは確かである。しかし、だからといって、われわれの土地やわれわれの海まで奪われなければならない理由はどこにもない。

習近平に痛烈な一撃を与えた李克強の奇襲作戦

大水害に見る習政権の無責任体制

7月22日から中国の習近平国家主席は東北地方の吉林省で地方視察を行った。同日は吉林市で農業生産基地や「革命戦争」記念館などを視察し、農業生産の重要性や「革命伝説」の大事さなどについて熱っぽく語った。

翌23日には、同省最大の都市、長春市で視察を続け、空軍の航空大学や自動車メーカーの第一汽車などを見て回り、中国の軍事戦略や産業政策について「重要講話」を行った。

このようにして習主席は吉林省視察を精力的に行ったが、問題はこの地方視察のタイミングと場所の選定があまりにも間が抜け、あまりにも無神経であったことだ。

周知のように6月から7月下旬にかけて、長江流域で「80年に一度」の大水害が発生し、政府の発表だけでもすでに約3800万人（当時）の人々が被災していた。

習主席が吉林省へ赴いた前日の21日には被災地域の30ヵ所以上の河川や湖沼で観測史上最高の水位が記録され、三峡ダムは警戒水位を16メートルも上回った。

しかし数千万人の国民が被災し、水害のさらなる拡大が迫っていたこの緊迫した時期に、国の最高指導者たる習主席は被災地から数千キロメートルも離れた「天下泰平」の吉林省を視察しに行っていたのだ。

これは一体どういうことなのか、と疑問と反発を覚えた国民は大勢いたはずだ。

実はこの地方視察の前にも、習主席が水害の被災地を訪れたことは〝一度〟もなかった。彼は北京から数回「水害対策」に関する指示を出していたが、被災地に直接出向いたり、現場の軍隊や民衆を激励したりするようなことは一切なかった。

江沢民政権時代の1998年、同じ長江流域で大水害が発生した際、時の国家主席や首相、副首相が入れ代わり立ち代わり被災地に足を運んだことと比較すれば、対照的な対応であることは明白だ。

さらに信じられないことに、広範囲にわたる大水害が発生して1ヵ月以上経っても、中央政府は「対策本部」のような組織を立ち上げていなかった。そして、習主席以下、首相にしても副首相にしても、水害対策の最前線へ出向いた中央政府の責任者は1人もいなかった。

唯一、李克強首相が7月6日から貴州省を視察したときに水害に見舞われた村を訪れたことがあったが、長江に面していない同省はそもそも水害の中心地ではない。

このように、習近平政権全体が、海外でも注目されている自国の大水害に対して、ほとんど無関心・無作為なのであった。国家規模の災害と国民の苦しみに対するこのような姿勢は無責任というよりも〝犯罪〟ではないだろうか。

習政権がこうなった最大の理由は、やはり最高指導者である習主席の為政者としての心構えにあるのだろう。近年、政治、経済運営の決定権をほとんど1人で握り、毛沢東以来、最大の独裁者となった習主席だが、一方で権限の集中に伴う責任の重大さに対する自覚は甚だ欠如している。習主席は今年1月、武漢が新型コロナウイルスの感染拡大で封鎖されたときも、李首相を「疫病対策」の最前線に立たせ、自らは〝敵前逃亡〟した「前科」もある。

このような最高指導者の下では政権自体が「無責任体制」になっていくのがオチであろう。

このままでは中国歴代王朝の末期がそうであったように、政権としての機能不全を起こして、徐々に機能マヒに陥ってしまい、国内外の危機に対処しきれなくなっていくに違いない。

だがこの後、李克強が動いた。

水害でイメージアップに成功した李克強首相

8月19日、新華社通信が前日に行われた習近平国家主席の安徽省視察の模様について写真を添えて伝えたところ、中国国内で大変な物議を醸した。同地は数週間前に大水害に見舞われたが、掲載写真のなかにその痕跡は見当たらない。

つまり、習近平は水害が完全に治まった後で、まるで物見遊山のように被災地を訪れたわけである。この視察はまったく無意味ではないか、との批判の声が巻き起こったのは当然といえた。

こうした手法は習近平の自家薬籠中（じかやくろうちゅう）のもので、たとえば新型コロナウイルスが猛威をふるった武漢市への対応はその象徴だろう。肝心な2月には習主席は姿を見せず、李克強首相が現場に出向いて、関係者を激励した。ようやく習近平が武漢を訪れたのは3月中旬で、武漢における感染拡大がほぼ収まった時分であった。

今度の安徽省の水害被災地の視察も武漢視察と同じで、国民が憤るのも無理はない。そのような行為が国民の批判を招く。これを想定できないところが習近平の資質である。

その2日後の20日、李克強首相は重慶を訪れた。この日の重慶は洪水のまっ只中で、全物流が停止、深刻な被害を受けていた。中国政府公式サイトに掲載されていたのは、泥水のなかを歩く李克強の姿であった。

公式サイトには2枚の写真があった。1枚は、まるで観光旅行を楽しんでいるかのようなリラックスした習近平の風情。もう1枚は、被災地の泥水をかき分けながら、指示を発している李克強の険しげな顔。この2枚を見比べて、中国国民はどういう印象を抱くだろうか?

水害が癒えた場所に現れた無責任な国家主席と、危険を顧みずに水害の最前線に飛び込んだ首相。どちらが本当の指導者なのか、誰もが認識しているはずである。

習近平の視察が自身の評価を大きく下げたのに対して、李克強の視察は国民の彼に対するイメージアップに寄与した。これは李克強が習近平に仕掛けた「奇襲作戦」であると、私は考えている。

「民意」の李克強vs「強権」の習近平という構図

無意味な視察を行った習近平が国民の非難を浴びているのをチャンスと捉えた李克強は、最大の水害被災地である重慶への電撃訪問を決め、わざわざ泥水のなかで災害を視察してみせた。これは李克強が自らの身をもって習近平に与えた一撃といえる。

習近平がどれほど無責任な指導者であるのか。本当の指導者はどうあるべきか。それを自分が示してやるぞ。そんな気概をもって重慶で事にあたった李克強は、「人民指導者像」の形成と強化という計り知れない政治的メリットを獲得した。

対照的に、習近平は水害の治まったところで意味のないパフォーマンスを演じるという「バカ殿」ぶりを露呈してしまったということになろう。

「民心」をつかむことで独裁者習近平の権勢に対抗する李首相の巻き返し作戦が成功、習の企む「李克強排除」が難しくなったのではないか。私はそう捉えている。

だが、李克強から思わぬ一撃を食らった習近平が黙っているはずはない。

李克強が重慶視察を行った20日、習近平はすでに反撃行動に出ていた。

習近平は宣伝機関を動員して「李克強黙殺」を強行する一方、視察先の安徽省で人民解放軍幹部を招集して会議を開催、自身の軍の掌握ぶりを誇示、軍権のない李首相を威嚇したのである。

「民意」の李克強VS「強権」の習近平、こんな構図が浮上してきた。2人の権力闘争は膠着状態のなか、今後も続いていくに違いない。

8月上旬に開催された北戴河会議において習近平が長老たちに、対米関係を強硬姿勢から対話姿勢に変更するよう促したと、私は書いた。それを証明するかのような動きが、さっそく中国側に見られた。

20日、中国商務省報道官から、米中閣僚会議が近く再開されるとの発表があった。先に中国のほうから表明したこと自体、中国側がアメリカとの会話を求めていることを滲ませている。

この北戴河会議において対米柔軟路線を身上とする李克強は、共青団の領袖である胡錦濤、実力者の温家宝など長老たちの強い支持を得たと言われている。北戴河会議でそうした力添えがあり立場を強めたからこそ、先に説明した奇襲作戦に打って出たと思われる。

習近平サイドの封殺を打ち破った李克強

数日遅れで報じられた李克強首相による重慶電撃視察

李克強首相が8月20日、水害の最中にあった重慶を電撃視察し、その危険を顧みない姿は指導者としての存在感をおおいに高めたと記した。2日前の習近平国家主席の安徽省視察が遊びの延長のようなものだったことから、李克強の責任感ある行動は余計にきわだった。

これが習近平にとって大変な一撃になったことが判明した。なぜなら、20日から23日夜までの数日間、中国中央の三大メディアと称される人民日報、新華社通信、中央電視台（CCTV）は李首相による重慶視察について完全に黙殺したからであった。李克強の動静について一切報じなかったのだ。

中国の首相が水害地を視察したニュースを封じ込めたことは、ある意味、中国建国以来、初めての異常事態といえた。このことが李克強の一撃がいかに習近平に痛かったかを如実に表していた。だからこそ、このニュースを封殺した。

ところが23日の夜9時すぎ、忽然(こつぜん)と李克強首相による重慶視察の記事が新華社通信の公式サイトに載った。新華社の報じ方は奇妙だった。いつ李克強が重慶を視察したのかについて、20日とは書かずに、「近日」という言葉で誤魔化してあったのだ。当然ながら、これは報道の基本に違反しており、情けないかぎりである。

だが、掲載記事には写真が載っていた。習近平がいちばん嫌がる、人民に見せたくないような写真が。というのは、李克強の足が完全に水没しているショッキングなものであったからだ。

新華社とほぼ同じタイミングで、人民日報の公式サイトも同様の記事を掲載した。翌24日、人民日報は第1面であらためて李克強首相の重慶視察を大きく取り上げた。

後日わかったのは、数日間にわたり李克強首相の重慶視察を黙殺した中央三大メディアに対し、「このようなやり方は通用しない。李克強は中国の首相であり、政治局常務委員で序列第2位である」と共産党党内、一般国民からかなりの反発があったのだ。

批判とともに李克強に対する同情が集まっていた。ということは、黙殺を促したと思われる習近平サイドが批判にさらされた。

党内と民間の圧力に折れた形で、おそらく習近平指導部は李克強首相による重慶視察の記事を解禁したのであろう。

膠着化と長期化が予想される2人の権力闘争

8月24日、中国首相として第3回「瀾滄江（らんそうこう）・メコン川首脳会議」に出席した李克強首相は、「新型コロナワクチンのメコン流域国への優先提供」を表明した。これには海外のメディアも一斉に反応、大きく取り上げた。

これまでこのような対外方針に関する表明については習近平国家主席がずっと担当してきた。特に今回のように、医療支援を自ら申し出る海外から称賛されるような事案の場合、必ず習近平が登場していた。

これに関して、24日当日には新華社通信、CCTVが大きく報道。翌25日、人民日報は第3面のほぼ全紙面、紙幅を割いて報道した。

こうした一連の動きを見るにつけ、李克強の立ち回りの巧みさを認めないわけにはいかない。習近平の評判を落とし、自分のイメージを高めたからだ。結果的には、当初は彼の動きを黙殺した三大メディアだったけれど、党内、民間の圧力に屈して報じざるをえなくなった。

しかも、第3回「瀾滄江・メコン川首脳会議」という外交の場でも、彼は存在感を十分に発揮した。ここにきて彼の奇襲作戦はかなりの成功を収めているようだ。

ただし、李克強が自分の権力基盤を固めて存在感を高めたといっても、いまの彼には習近平を皇帝の座から引きずり降ろすパワーはない。習近平は依然として、中国共産党の軍と宣伝部門をしっかりと握っている。

一方、ここにきて李克強に対する人民の信望は明らかに高まった。党内においても、彼に対する支持と同情が拡がった。こうなると習近平サイドから見ると、いまさら李克強を放逐することはほぼ不可能となってしまった。あまり乱暴な振る舞いに出ると、党内の亀裂と動揺を引き起こしかねないからである。場合によっては習近平政権の崩壊のきっかけにもなりかねない。

つまり、2人の権力闘争の膠着化と長期化が予想される。

おそらく今後、習近平に何かのスキがあると判断すれば、李克強は必ず再度、奇襲攻撃を仕掛けるはずだ。見方を変えるならば、習近平は隙だらけで、奇襲を仕掛けやすい指導者である。これは不謹慎な物言いとなるが、今後の中国の政治を見ていくうえでの「楽しみ」でもある。

習近平・韓正、悪の同盟関係

首相のような扱いを受ける韓正

ここまで李克強首相が習近平国家主席に対して、さまざまな戦術を用いて、戦いを挑んでいることを記してきた。それに対して習近平は、政治の意思決定の中枢から李克強を排除していこうとしている。2人のバトルの行方はどうなるのか。

可能性のひとつとして、あるタイミングで習近平が李克強を首相の座から引き摺り降ろすというものがある。かなり難しいとは思うけれど、可能性がまったくないわけではない。仮にそうなった場合、李克強の後釜に誰が首相の座に就くのだろうか？

最近の動静をみて、ポスト李克強なる人物が浮上してきた。韓正筆頭副首相である。以下は韓正のプロフィールである。

66歳　共産党政治局常務委員（序列7位）、筆頭副首相

1998年～2003年　上海市副市長

２００３年～２０１２年　上海市市長
２０１２年～２０１７年　上海市共産党書記
２０１７年～現職

上海勤務が長いのが彼の経歴の特徴だろう。現在、筆頭副首相の彼は本来ならば、次期首相に昇格する見込みはまずない。なぜなら66歳の韓正は現役首相の李克強よりも1歳上で、慣例上、後継者にはなれないからだ。

だが、韓正が次期首相になるのではないかとする兆しが見えてきた。どういうことか。実は今年7月～8月にかけて習近平が韓正と行動をともにするケースが目立って増えているのである。しかも、いずれの場合も李克強は排除されていた。こんな感じである。

①２０２０年7月22日、習近平が韓正を含む３人の政治局常務委員とともに「企業家座談会」に出席。李克強首相は欠席。

②２０２０年8月20日、習近平が韓正と２人で「長江デルタ一体化発展座談会」に出席、韓正が講話を行った。

③２０２０年8月25日、習近平が王滬寧、韓正の３人で「経済社会領域専門家座談会」に出席。李克強首相は欠席。

④2020年8月27日、同じく習近平が王滬寧、韓正とともに「警察部隊授旗式典」に出席。李克強首相は欠席。

これまでも伝えてきたように、この夏、李克強はさかんに習近平に反抗的なアクションを起こしてきた。対する習近平は李克強を完全に無視、韓正を公式行事に同行させ、あたかも韓正が首相になったかのような演出を行った。「すわ、習近平・韓正コンビの誕生か」と思わせるほど官製メディアも、2人の同行の場面を繰り返し取り上げていた。私は、これは習近平の演出であり、将来への布石、腹づもりでもあるのかもしれない、と捉えていた。

香港国家安全維持法を主導・制定した悪のコンビ

では、どうして韓正は習近平のお眼鏡に適ったのであろうか？　2人はかなり前から緊密な関係にあって、ある意味、一蓮托生（いちれんたくしょう）といえた。

韓正が上海勤めが長かったのは先にもふれたが、習近平も2007年3月から10月までわずか7ヵ月とはいえ、上海市共産党書記を務めており、韓正はそのときの上海市市長であったのだ。知ってのとおり、中国では市長よりも共産党書記のほうが地位が上だ。上海で邂逅した2人が親分・子分の関係を結んだと私は読んでいる。なぜならそれ以降、習近平が出世街道を上っていく節目で、必ず韓正の地位もパラレルして引き上げられていったからだ。

2012年11月、習近平が共産党総書記に選出され習政権が成立すると、韓正は共産党政治局員となると同時に、かつての習近平のように、上海市共産党書記に昇進している。

2017年10月の党大会において、第2期習近平政権がスタートすると、韓正は共産党政治局常務委員に昇格、翌年には筆頭副総理となっている。

さらにこの2人は香港問題に深く関わっている。いわば香港を殺した共犯と考えていいだろう。

韓正は2017年10月に共産党政治局常務委員に昇格した当時から、「中央香港・マカオ工作協調小組」の組長を兼任していた。要は、韓正は共産党中枢において香港とマカオ支配の司令塔であったということだ。香港特別行政区の林鄭月娥行政長官は北京入りすると、必ず韓正に拝謁するならわしになっていた。

2020年6月、上述の「中央香港・マカオ工作協調小組」が「中央香港・マカオ工作指導小組」に改名、あからさまに香港支配の旗印を鮮明にした。韓正は引き続き組長を務め、彼が中心となって習近平を補佐、天下の悪法である「香港国家安全維持法」の制定を主導した。

間接的な証拠がある。2020年6月3日、香港の林鄭月娥行政長官が北京で韓正と会談をもち、韓正は「香港国家安全維持法」の制定に関する香港政府の意見を聴取した、と官製メディアが一斉に報じた。意見聴取はもちろん形のみ。習近平の意向を受けて、韓正が主導して決めたものを彼女に伝えた。

こうした経緯は、中国の政治に関してはきわめて重要なところである。A指導者とB指導者が共謀犯、共犯者になれば、2人の関係はきわめて堅固なものになる。2人は「香港国家安全維持法」を主導したという事実から逃れることはできない。習近平は韓正を誰よりも信用する。一緒に悪事を働いた部下だからこそ、信用できるわけだ。

かたや韓正にすれば、天下の悪法の制定を主導したことで、習近平についていくしかない。そこで2人の悪の同盟関係が構築された。

「香港国家安全維持法」が制定、施行されたのは6月30日であった。この日を境に、習近平は公式行事に頻繁に韓正を連れていくようになった。

もし習近平が李克強を現役首相の座から引き摺り降ろすのに成功したら、習は必ず韓正を首相に据えると私は思う。

しかしながら、現時点で習近平国家主席が李克強首相を無理矢理に解任するとか、政治局常務委員会から追放するのはかなり難しい。習近平はおそらく以下のようなシナリオを描いているだろうと、私は推測する。

２０２２年秋に開催予定の共産党大会で、まず李克強を政治局常務委員会から追い出し、引退を迫る。それが第一歩。そのうえで、２０２３年春に開催予定の全国人民代表大会で、10年の首相満期を迎えた李克強を「満期退任」させる。そこで韓正が新首相に就任する。

これで首相が国家主席に完全服従することとなり、習近平個人独裁が完成するわけである。逆に李克強には時間は2年しか残されていない。「人望」と「党内支持」を盾にする李克強の戦いが続くことになる。

第5章

中国が目指す「双循環経済」の危うさ

中国の外部環境の悪化に備えよと説いた元外交官

7月3日、人民日報系の新聞である「環球時報」は中国共産党元高官・周力(しゅうりき)の論文を掲載した。論文のタイトルは「外部環境の悪化に積極的主導的に対処して六つの準備を備えよう」というものであった。

まずは周力なる人物の説明から入りたい。周力は中国の元外交官で、最終的には中国共産党中央委員会直属の対外連絡部の副部長を務めた人物。中国共産党中央委員会・対外連絡部とはどういう組織なのか。

中国共産党が外国の政党・政治組織と交渉するための機関で、さらに党の外交政策・意思決定に助言する役割も担っている。中国は当然ながら外交部(外務省)という機関をもっており、中国政府が外国政府と交渉する場合はこちらの外交部を使う。

ただし中国共産党が外国の政党、日本の自民党や公明党と交渉する場合には政府の外交部ではなく、共産党の対外連絡部を使う仕組みになっている。しかも対外連絡部は国際環境や国際問題を調査研究し、中国共産党指導部の外交に関する意思決定に助言する立場でもある。

この周力という人物の経歴を見ると、中国外交部欧州・アジア局元局長、中共対外連絡部元副部長まで務めていることから、国際問題に精通する元高官と思われる。

周力論文の要点と私の感想は以下のとおり。

①「米中関係の劇的悪化、米中間闘争の全面的レベルアップに備えよう」

驚いたのはここで闘争という言葉を使っていることであった。対立、関係悪化という表現に留まらず闘争とした。闘争は共産党では「敵対関係」「敵と闘う」ことを意味する。

②「外部需要の萎縮（いしゅく）、サプライチェーンの断裂に備えよう」

新型コロナウイルス禍のなか、欧米は大変な困難に陥っており、欧米の消費市場は極端な落ち込みをみせている。いま中国は「メイド・イン・チャイナ」に対する需要も大幅に萎縮するという問題に直面している。さらに、いま欧米企業は生産拠点を中国から他国へ移転、脱中国化を進めているところだが、これらの影響が失業問題に直結するとの警告である。

③「新型コロナ感染拡大の常態化に備えよう」

コロナ感染は完全に収まることはない。その長期化に覚悟をもって対処しなくてはならない。

④「アメリカドルとの切り離しに備えよう」

これまで中国の人民元は米ドルとのリンク（連動）により、対外貿易で成果をあげてきた。人民元の価値は米ドルとのリンクによって決められてきた。今後、もし人民元と米ドルが切り離された場合、人民元の価値は下落する可能性があり、これも大きな懸念材料である。

⑤「グローバルな食糧危機の爆発に備えよう」

新型コロナの影響、あるいはアフリカや中東でのバッタ被害の影響で、今後、世界的な食糧不足が起こる懸念が生じている。食糧の輸出大国が売り惜しみに走るならば、食糧輸入大国の中国は大変な危機に陥る可能性がある。

⑥「国際的テロ組織の巻き返しに備えよう」

新疆ウイグル自治区で実行している中国の厳格な管理政策が、世界のイスラム教徒の反発を買っている。今後、イスラム教徒の矛先が中国に向けられ、場合によっては中国に対するテロ活動があるかもしれない。

以上、これから中国に対する国際環境は悪化の一途をたどることから、われわれは十分に備えなければならないというのが周力論文の主旨ということになろう。

反省なしの危機感ほど恐ろしいものはない

この論文から強く感じられたのは、中国共産党のエリート階層、あるいは上層部に近い人たちが、いま中国を取り巻く国際環境に対して大変な危機感を抱いていることであった。米中関係が本格的な対立のフェイズに突入し、アメリカは経済的にも、政治的にも、軍事的にも、「中国封じ込め」を明確にスタートさせた。

アメリカ議会は香港人権法案、ウイグル人権法案などの対中法案を成立させ、中国の民族弾圧、人権弾圧に対して「NO！」を突き付けた。経済面においては、貿易戦争を発動するとともに、ファーウェイなど中国の国策企業に対して封じ込めに動いた。米海軍は台湾海峡周辺、南シナ海に第七艦隊を派遣し、豪海軍との軍事演習を行い、中国に圧力をかけ続けている。

通常の国家ならば、自国に対する国際環境の悪化について考察する場合、まず悪化の原因を真剣に突き詰めようとするはずだ。同時にある程度の「自己反省」も行うはずである。二国関係が悪化する場合、自国にも「非」があるものなのだ。

いまのような米中の敵対関係を生んだのは、私からすれば、中国の責任にほかならない。

アメリカは中国に幻想を抱いていた。中国が経済成長を遂げ、中産階級が増えるならば、中国は一党独裁をやめ、穏やかな民主主義国家になるのだろう。西側の普遍的な価値観を受け入れるだろう。そうした期待の下、これまでアメリカは中国の経済成長を支援し、中国との良好な関係を維持してきた。

だが、アメリカの期待は完全に裏切られてしまった。とりわけ習近平政権が誕生してからの中国が繁栄すればするほど、巨大化すればするほど、欧米社会に対して横暴な振る舞いを見せるようになった。世界に対して侵略的かつ覇権主義的な行動に出てきた。

だからアメリカはこれ以上中国の横暴を許したら世界は破滅すると認識して、中国に対して全面的な封じ込めに動いたわけである。

先に自国の非、自己反省について記したが、周力論文を何度読み返しても、それがまったくない。それがこの論文の最大の特徴ともいえよう。

世界の企業が生産拠点を他国に移し、中国から離れていくのかについても、反省の弁はまったく見当たらない。

「国際的テロ組織の巻き返しに備えよう」についても、そもそもは中国による新疆のウイグル人に対するあまりにも悪辣(あくらつ)、理不尽な民族弾圧がすべての原因であるのは明白なのに、一切反省の言葉はなかった。

この論文全体に流れるのは、「すべてはあいつらが悪い。自分は悪くない」という中国式の論理だった。原因に対する反省がなければ、外部環境の悪化に対する正しい認識も持てない。

そんな周力が論文のなかで提言したのは結局、「力による対抗」であった。アメリカに対しても、世界の企業に対しても、イスラム勢力に対しても、力で対抗する以外にないと結んでいる。

反省なしの危機感、譲歩なしの備えが生み出したのは、中国の力による対抗の論理でしかなかった。これでは中国とアメリカ、中国と国際社会との対立を、より悪化させてしまうはずだ。

「内循環経済」の登場から見た、中国経済のアキレス腱と絶望

「自給自足」型経済を提唱した劉鶴副首相

今年の春頃から中国の経済学者、財界人の間で「内循環経済」という言葉が流行り出し

た。

中国国際経済交流センター総経済師の陳文玲（ちんぶんれい）氏は4月のあるシンポジュームの席で、「今後、中国経済は国内大循環のサプライチェーンを構築すべき」と提言した。

5月、中央電視台が経済学者たちを招聘（しょうへい）して討論会を開催した。ここでのテーマも「中国経済はいかにして国内大循環経済を構築するのか」であった。

そして6月18日、副首相の劉鶴はあるシンポジュームに寄せたメッセージのなかで、「国内大循環を主とし、国際国内相乗の『双循環経済』という新たな経済構造がいまの中国で形成されつつある」と語った。

劉鶴副首相とはいかなる人物なのか？　彼は習近平国家主席の小学生時代の先輩であり、現在は習近平の右腕として、実質上、中国経済の運営と政策立案の最高責任者という立場にある。双循環経済と劉鶴は語るけれど、あくまでもメインは内循環、国内経済だ。

内循環経済とは極論を言えば、外国といかなる関係をもたずに、国内のみで完結する、成り立たせるもので、簡単に表現すると「自給自足」型経済になる。その立案者が劉鶴副首相なのである。

一方、劉鶴の提唱する内循環経済に懸念を示す中国の財界人、経済学者もいるようだ。果たしていまの中国は劉鶴が述べたように、内循環をメインとした経済構造になりつつあるのか、あるいは内循環メインで中国経済が成り立つのかといえば、私はありえないと思う。

なぜありえないのか。まずは中国の貿易依存度について、再確認する必要があろう。一国経済の貿易に対する依存度が高いならば、当然ながら自給自足率は低くなる。逆に、その国が自給自足率100％ならば、貿易は不要ということになる。

貿易依存度（2019年10月）

アメリカ　20・5％
日本　29・3％
中国　32・6％

これを見てわかるように、中国経済の3割以上が対外貿易で成り立っているわけである。

その内訳を見てみよう。

2019年
輸出総額　2兆4984億ドル（日本＝7207億ドル）
貿易黒字　4215億ドル

輸出産業雇用者数　８０００万人

輸出産業雇用者数についてはについてのみで、間接を含めるとおそらく２億人を上回るはずである。

以上の数字を見ると、中国経済にとって外国との貿易がきわめて重要なものであることがわかる。仮に中国の輸出が断たれると、中国にただちに８０００万人の失業者が生まれるのだから。

さらに輸入も中国経済にとって、きわめて重要である。

中国の輸入（２０１９年）

輸入総額　２兆７６９億ドル

食糧　１億１５５５万トン（国民１人当たり82キロ）

原油　５億６００万トン（日本＝２億トン程度）

食糧と原油なしでは中国の国民生活も経済も回るはずがないわけで、対外貿易が欠かせないのは自明の理である。

輸出がなければ、大量の失業者を出すと同時に貿易黒字が消え、中国に絶対的に不足する食糧や原油を外国から買えなくなってしまう。中国人の存続すら危うくする。

このような中国の経済状況を踏まえると、劉鶴副首相の「国内循環を主とし、国際国内相乗のダブル循環の新たな経済構造がいまの中国で形成されつつある」という言葉はまったくのウソと言わざるをえない。

中国を見捨てるベクトルで動いている国際社会

それでは習近平の側近かつ中国経済の運営・立案の責任者である劉鶴は、なぜ現実を無視してまでそんな言葉を発しなければならなかったのか。それは先に取り上げた中国共産党元高官の周力が「環球時報」に書いた「外部環境の悪化に積極的主導的に対処して６つの準備を備えよう」という論文の内容とつながってくる。

周力が危機感を訴えた外部環境の悪化こそ、劉鶴が「内循環経済」を持ち出した背景であろう。

周力論文からもわかるように、米中関係の悪化は中国経済に深刻な影を落としている。中国経済の輸出に対する依存度が非常に高いうえに、実はアメリカは中国の輸出先として最大の得意先なのである。中国が毎年稼ぐ貿易黒字の6割がアメリカからのものだ。この先米中関係が徹底的に悪化し、米中貿易が断絶するような場面が訪れると、中国は貿易黒字の過半を失うことになる。

先刻もふれたように、貿易黒字を失うことは、外国からモノを輸入するお金が枯渇することを意味する。あるいは人民元が米ドルと切り離されてしまうならば、当然、人民元を受け取る相手はいなくなるであろう。さらに、周力が指摘するように、いま欧米日企業の脱中国化が勢いを増している。

そうした背景から、アメリカ市場はシュリンクし、世界の企業は中国から離れていき、対外貿易は萎縮していく。もはや中国にとり貿易が頼りにならなくなったからこそ、「内循環経済」で生き延びていくしかないわけである。

けれども、内循環経済で中国を運営していくのはまず不可能と言っていい。その理由はここまでさまざまあげてきたとおりである。貿易で稼げなくなれば、中国経済は瓦解し、国民が食うのにも困る状況が待ち受けている。

国際社会はいま確実に中国を見捨てるベクトルで動いている最中である。世界が脱中国で進捗するのに対抗して、中国は「それならば、われわれは自給自足の循環経済で行く」と尻をまくった。そうすると、ますます中国は世界から孤立し、どんなアクセスもできなくなってしまうだろう。

今後、中国の対外輸出も輸入も萎縮していくと、中国経済の沈没速度は加速する一方となろう。繰り返すけれど、中国が輸出を失えば雇用が即悪化する。失業が増えると消費が落ち込む。国内の混乱は拡大する。これらを克服するために、中国政府はより一層国内経済に対する統制を強めるしかない。自給自足経済は「統制」の上にしか成り立たないからである。

たとえば、外貨に対する統制。おそらく早晩、中国国民は外貨を持てなくなるだろうし、自由に海外旅行ができなくなるだろう。物資に対する統制も始まるはずだ。１９７８年の改革開放以来始まった市場経済に替わって、昔ながらの統制経済、計画経済が復活してくる可能性もあると思う。

風前の灯火と化した習近平肝いりの「一帯一路」

注目された習近平によるＡＩＩＢ理事会向けのビデオ演説

7月28日、ＡＩＩＢ（アジアインフラ投資銀行）の第５回年次総会が開催され、習近平国家主席がオンライン演説を行った。この演説には大変注目すべきことがあった。それは習近平が何かを述べたということではなく、当然触れるべきことに触れなかったからである。

習主席自身肝いりの「一帯一路」について、何と一言も触れなかったのだ。これは何を意味するのだろうか？

それを読み解くために、まずはＡＩＩＢ（アジアインフラ投資銀行・中国名は亜洲基礎設施投資銀行）について知っておく必要がある。ＡＩＩＢは中国が提唱し、主導する形で生まれた国際開発金融機関で、２０１５年12月に発足した。57ヵ国が創設メンバーとなった。約５年後の現在の加盟国は１０２ヵ国・地域（２０２０年1月現在）。ただしアメリカ、日本などは依然として不参加である。

ポイントは、ＡＩＩＢの本部は北京に置かれ、行長（総裁）は中国共産党幹部。ＡＩＩＢ発足時から現在まで総裁は金立群（きんりつぐん）氏。本部には各国選出の理事を常駐させない。これらを見ると、ＡＩＩＢが実質上の中国支配で運営されていることがわかる。加盟国には資金を拠出させるけれども、運営にはタッチさせない。

それではＡＩＩＢ設立の目的は何だったのか？　一帯一路の展開の拡大にほかならない。これは私が勝手に言っているのではなく、証拠がある。

２０１４年11月、中国の習近平国家主席は共産党の中央財経領導小組会議にて、「多くの国々と連携してＡＩＩＢを設立し発展させるのは、一帯一路関係国のインフラ建設に資金を提供するためである」と明言している。

ＡＩＩＢとはすなわち、中国の、中国による「一帯一路」のための金融機関なのである。

あまりにも虫の良すぎる「一帯一路」構想

「一帯一路」については皆さんもすでにご存じかと思うけれど、少しさらっておこう。一帯一路とは、習近平国家主席が２０１４年11月に提唱した広域経済圏建設構想のことで、ＡＩＩＢが投資資金を供給してアジア全体、さらにヨーロッパ・アフリカの一部を巻き込んでインフラプロジェクトを展開していくというものである。

その真の目的は、上述した広域において中国の経済的影響力を強め、「中華経済圏」の成立を目指すことだ。さらに習近平政権は別の思惑をもっていた。それはアジア・アフリカ諸国にそもそも返済不能な貸付を行うことによって、一帯一路プロジェクト参加国の港湾や資源を奪い、中国の政治的・軍事的覇権を樹立することである。要は中国の経済的野望と政治的なアジア支配という、2つの野望を果たすためのものと言っていい。

ただ、よくよく考えてみれば、AIIB参加102ヵ国からの出資を利用して「一帯一路」を推進していくということは、他人のフンドシで相撲をとるという話にもなる。もうひとつは、先に申し上げたように、AIIBが一帯一路プロジェクトに返済不可能な貸付を行うことにより、中国はアジア・アフリカ諸国の主権・利権を奪ってきた。これはまあ私に言わせれば、典型的な「ヤクザ金融」の手法である。

ここまで説明してきたように、AIIBと一帯一路は完全に「表裏一体」の関係にある。

ここで冒頭の話に戻る。7月28日のAIIB理事会向けのビデオ演説において、習近平が一帯一路について一言も触れなかったのはただごとではない。私は、習近平は一帯一路構想をこっそりと〝取り下げた〟と捉えている。つまり、もうやる気が失せてしまったのだと。

どうして、自らが打ち出し、鳴り物入りで展開させてきた一帯一路を放棄したのだろうか？

その理由は実に簡単である。一帯一路の現状がまさに惨めと言うしかない、開店休業の状態にあるからだ。それはＡＩＩＢの融資の伸び悩みを見れば、一目瞭然である。開業以降４年半で融資件数はわずか87件、１９６億ドルでしかない。開業当時に想定した融資額の半分以下に留まっている。

さらに寂しいのは融資実行額で、２０１９年末までの融資実施額はたったの22億ドル。たとえば三井住友銀行の貸出残高は７６６６億ドル（２０２０年３月）であった。まったく比較にならない。ＡＩＩＢがいかに惨めな状況にあるのかがわかるだろう。

相次ぐプロジェクトの停止や延期

なぜＡＩＩＢが国際金融機関としての機能を果たせないのかというと、一帯一路そのものがいま、風前の灯火となっているからである。ほぼ破綻しかけている。

世界各地における一帯一路の挫折の実態は以下のとおり。

マレーシアの湾岸開発プロジェクトの停止。キルギスでの開発事業停止。タンザニアでの1兆円規模の湾岸開発計画の停止。ルーマニアが中国との開発協議を停止。稼働・開業が延期となったプロジェクトは以下のとおりである。

ミャンマー発電所。カンボジア発電所。タイ高速鉄道。インドネシア高速鉄道。

また、貸付返済が不能に陥った国々から主権や利権を奪う中国の振る舞いに対して、EU諸国外相会議が「一帯一路は新植民政策」という批判的な立場に転じたのは注目すべきであろう。

さらに一帯一路の展開に大打撃を与えたのは、中国とインドとの関係が決定的に悪化したことだろう。中国にとりインドは、一帯一路の支柱となるべき国で、これまでの一帯一路プロジェクトの3割ほどがインド向けのものだった。つまり、インドはＡＩＩＢの最大の融資国だったのだ。そのインドが、国境線をめぐり中国と戦火を交じえ、40年ぶりに死者を出す結果となった。

以上、述べてきたように一帯一路は実質破綻というか、ボロボロの状態に陥っている。習近平がＡＩＩＢの理事会に向けビデオ演説で一帯一路を取り上げなかったのは、中国共産党の常套手段にほかならない。中国共産党の場合、失敗に終わったことについては絶対に明言しない。

おそらくこれからの中国政府は、一帯一路について触れようとしないと思う。要はなかったことにする。それが彼らの幕の引き方であるからだ。

飲食監視社会という新たなる恐怖

街中に貼られる「光盤」を呼びかけるポスター

8月12日の人民日報・朝刊の第一面にこんな見出しが躍った。習近平国家主席からの重要指示のひとつで、「飲食における浪費行為を正視し、節約の習慣を育てよう」というものであった。

人民日報の記事を要約すると、以下のようになる。

・穀物は年々豊作だが、「食糧安全」に危機意識をもつべきである。
・中国人民の飲食における浪費は甚だしく、習主席は心を痛めている。
・この問題を解決するためには、今後立法を進め、監視・管理体制を強化し、長期的な体制づくりの下で、「飲食浪費行為」を制止する。
・宣伝教育を行い、節約の習慣を確実に育てる。

街のレストランには「光盤」を呼びかけるポスターが貼られている。光盤とは「SAVE ON FOOD（食べ残すな）」という意味である。

習近平が中国の指導者としてこのような指示を出した背景には、いま中国が直面する大変な食糧不足問題が横たわっている。習近平は毎年のように国内の穀物の豊作をアピールしているけれど、豊作が本当ならば別に食の安全に危機感を持たなくてもいいはずだから、これについては偽りであろう。

習近平のウソは、中国の国家食糧・物資貯備局という政府機関のHPを見ても明らかである。中国においては通常、麦については夏、米は秋に収穫される。本年8月5日まで、同局が全国農村から備蓄用に買い入れた小麦は4285・7万トン、前年同期比で938・3万トンも減っている。

今後収穫される米については、ご存じのとおり揚子江流域の大水害により、米の収穫量が大幅に減少するのは間違いない。言うまでもなく、揚子江流域は中国の稲作における最大の穀倉地帯だ。要は、中国の今年の穀物減産は現時点で確実視され、それは深刻な食糧不足につながる恐れが強い。

中国人にはライフスタイルを選択する自由すらない

私は、習近平が呼びかけにより始まった「光盤キャンペーン」に疑念を抱く1人である。なぜなら、これから国全体が食糧不足に陥るならば、それを解決するのは中国政府の責任であると思うからだ。政府が何らかの解決策を講じなければならない。

「光盤キャンペーン」にはすでに政府は解決をあきらめ、国民に節約を強制する意図が透けて見えており、あまりにも無責任ではないだろうか。

さらに、この習近平発の「光盤キャンペーン」からもうひとつあらわに見えてきたのは、中国共産党の一党独裁体制の〝異質〟さであった。それは習近平が「光盤キャンペーン」、つまり、食糧浪費行為制止キャンペーンを徹底し、長期展開するため、これを立法化するよう指示したことである。法律まで制定して国民の飲食店における「浪費」と「節約」を強いるわけで、どう考えても異質というか、異常と言わざるをえない。

いまの中国では、法律の制定についても独裁者の思うままであることがわかる。

冒頭に示した人民日報の記事の要約の最後のところを見ていただきたい。宣伝教育を行い、節約の習慣を確実に育てる。これは、中国では国民がどういう生活習慣をもつべきかは独裁者が決める。独裁者が決めた生活習慣を国民が身につける。つまり、中国においては国民が自身のライフスタイルを選択する自由すらない。そう謳っているのである。

第3者による監視員制度

習近平の呼びかけは中央政府、地方政府、民間団体（外食協会、調理師協会）、共産党外郭団体（夫人連合会）へと一斉に伝播した。

問題はどのように飲食の浪費を制止するかだが、さまざまなアイデアが出されているようだ。あるレストランは「テーブルの人数より料理を1人分減らす。つまり、10人が会食する場合には9人分しか出さない」との方針を示していた。すると対抗して「テーブルの人数より料理を2人分を減らす」というところが出てきた。

上の歓心を買うために、このような競争がだんだんエスカレートしていくのは目に見えている。

上海・新雅粤菜館ではこういう取り組みを行っていると報じられていた。2人組の客が5品を注文すると、店員から「多すぎます。3品にしてください」と強いられたのだと。

つまり、これから中国のレストランでは注文を自分では決められず、店員の指導の下で決めなければならなくなる。

別のレストランでは、来店客の体重を計るという珍案を出してきた。たとえば体重40キロの女性なら2品まで、70キロの男性ならば3品までという決まりである。

現段階ではこれらを一笑に付す人もいるだろう。だが、遠からずそうした笑いは凍り付くはずだ。

先にふれたとおり、習近平が飲食店における「浪費制止」と「節約強制」の法律を制定するからである。すでに全人代の法律工作委員会は専門チームを編成、「飲食における浪費を制止するための立法を行う」ことを発表している。

つまり、「10人が会食する場合には8人分しか出さない」というようなことが実際に法律として明文化されるのだ。

今後の中国はどのような社会になっていくのか。私流の言葉で表すならば、「飲食監視制度」が導入されるはずである。浪費行為、食べ残すことが法律違反で、処罰の対象となるのだ。違反者には罰金あるいは拘束もありえる。そのため各飲食店に入る人は毎回、戦々恐々の心持ちとなる。

では違反を誰がチェックするのか。店員にしたってそんなことで客といざこざを起こしたくはない。そこで浮上してきたのが「第3者による監視員制度」の設立だ。したがって、近い将来、飲食店内に客でもなく、店員でもない、各政府から派遣された人間が監視の目を光らせることになる。当然ながら、外国人についても処罰の対象となることから、要注意である。

食糧不足はどの国でも起こりえる問題であるとはいえ、中国はやはり異質、異常な対応に出る。日本ならば増産体制で解決しようとトライするのだろうが、それはせずに国民に我慢を強いることによって難局を乗り越えようとするのが常、といえる。

今秋以降の食糧危機を契機に、中国がますます内向きになっていき、活力を失うのは確実であろう。当該法律が施行されれば、息苦しい飲食店に出向く人は急減するはずだ。すると、ただでさえ内需不足が甚だしい中国経済はますます弱っていく。まったくバカバカしい取組だけれど、ツルの一声に誰も逆らえない。

こうした中国の現状を見るにつけ、食べることさえ縛られる中国の14億人という市場はまったくの幻想であり、進出している日本企業は一刻も早く脱出すべきだと、改めて進言したい。遅かれ早かれ、このままでは中国は食糧配給制度が復活し、毛沢東時代へ逆戻りする運命にあるのだから。

ルビコン川を渡った中国

先にも記したけれど、やはり中国は「生存権の拡大」を目指すはずである。十分な動機が揃っている。今年に入ってから疫病が発生し、大洪水に見舞われ、バッタも大発生し、食糧危機が迫っている。

中国の歴史をひもとけば、これだけの災厄が揃ったらほぼ歴代の王朝は崩壊の憂き目をみた。このような逆境下でどうやって政権崩壊を避けるのかといえば、外に打って出るしかない。そこが今後の習近平政権のいちばん危険なところであろう。

その背後には華夷(かい)秩序からの伝統的な考え方とともに、「われわれは１００年間ずっと外国から虐められてきた。だから、これからわれわれはどんなことをしてもよい権利があるのだ」という意識があるからきわめて厄介だ。

たとえば日本に対して多くの中国人は「俺たちは南京で30万人殺されたのだから、東京で30万人以上殺しても、何も罪悪感を覚える必要はない」と考えている。そこが大問題だと、私は思う。

いま中国がさかんに手出ししている尖閣(せんかく)諸島は、言うなれば「１００年の恥辱」の象徴的な存在にほかならない。それだけに危ない。もっとも私は、尖閣よりも先に台湾が中国に狙われると思っているが、いずれにしても日本は最前線に近い。矢面に立たされるわけだから、相当な覚悟が必要である。

「香港国家安全維持法」の制定、施行で、中国は越えてはいけない一線を越えてしまった。ルビコン川を渡ってしまった以上、もう後戻りはできない。香港国家安全維持法の最大の意味は、中国が鄧小平以来の改革開放路線に自ら〝終止符〟を打ったということだ。

仮に西側諸国との貿易が断絶したとしても、中国は独裁政権を維持し、国内循環経済で何とかするつもりなのだろう。もし食糧が足りなくなったとしても、それは毛沢東時代から比べれば食糧が足りないわけではなく、ぜいたくになっただけなのだと国民を叱咤するのだろう。

だが、独裁と統制で内循環経済をやっていけるのかといえば、それは幻想でしかない。そうなると、中国は外に出て行く以外にない。ああいう独裁体制だから、10年後に習近平がどこまでやるかは誰にも想像がつかない。

本人の錯覚と幻想が一種の中国全体の幻想となって、14億国民が否応なくこの危険な道に巻き込まれていく可能性は十分ある。先の大戦時のドイツのように、中国国民は熱狂のなかで習近平についていくのだろうか。

ウイグル人を100万人単位で収容所にぶち込むという、ああいう発想ができるのは習近平ぐらいなものであろう。残念なことに、新型コロナウイルスの一件で、習近平政権は救われたというか、息を吹き返してしまった。彼らはいま、自分たちの独裁システムに自信過剰になっている。実際に香港においては、香港国家安全維持法が施行されたとたんに、民主活動家たちは離脱し、中国への反対運動も急速に鎮静化していった。

中国が香港の反対運動を徹底的につぶす背景には、まさに「100年の恥辱」があった。彼らの潜在意識のなかでは、香港の存在そのものが恥辱の最大の象徴なのだ。だから中央政府に対する反対運動が、彼らには「お前たちはイギリスの植民地から解放されて、やっと祖国に返ってきたのに、なぜ帝国主義の手先になって中華民族に楯突くのか」と映ったわけである。

日本の人たちにはわからないだろうが、中国に住む漢民族の大半は、香港に同情などしていない。われわれは、この独裁政権が中国人民の目覚めで崩壊するとの幻想を捨てた上で、最悪のことを想定して中国問題に対処せねばならない。

第6章

いま内モンゴル自治区で何が起きているのか

中華民族というインチキ概念を暴く

モンゴル人の文化的アイデンティティが殺される

中国内モンゴル自治区の小中学校で9月から中国語（漢語）教育が大幅に強化されたことに対し、モンゴル族が猛反発、授業のボイコットや30万人規模の抗議デモが起きている。日本のメディアは一様に「中国語教育の強化」と伝えているが、私に言わせれば、これは「内モンゴルにおけるモンゴル語殺し」にほかならない。

以下は今回の騒動の経緯である。

内モンゴル自治区政府は8月26日、9月1日入学の新1年生から「国語」の教科書をモンゴル語から標準語（北京語）に切り替えた。さらに「政治」と「歴史」の教科書も順次中国語に切り替えていく方針を示した。モンゴル語は「第2言語」として教えられるようになり、事実上、「外国語」の扱いとなった。

モンゴル人の子供たちの教育から彼らの母語であるモンゴル語を追い出し、漢民族の子供と同様に中国語を母国語として教え込むわけである。モンゴル人の「漢民族化」を進めるのがその目的であろう。

それでは民族のアイデンティティとは何か。ＤＮＡもそうだが、文化的アイデンティティの筆頭はやはり言語だと思う。モンゴル人の子供の教育からモンゴル語を切り離してしまうと、彼らは中国語しか話せない、中国語しか書けない人間となって、文化的にも精神的にも「漢民族化」されてしまう。

だから、いま内モンゴル自治区のモンゴル人は共産党の弾圧のなかで決死の反抗を行っている。自分たちのアイデンティティを守るために。

内モンゴル自治区という名前は付いているけれど、モンゴル人が自治を行っているわけではない。同自治区に住む80％以上が漢民族で、もともと住み着いていたモンゴル人は18％程度、完全に漢民族に乗っ取られた格好だ。習近平政権はいま、モンゴル人が必死で守ってきた文化的アイデンティティである言語さえも奪おうとしている。

中国では漢民族以外に55の少数民族が暮らしている。独自の言語をもつ民族もあればたない民族もあるが、各少数民族の言語消滅による「漢民族化」は習政権の一貫した方針である。

習近平は２０１２年11月に中国共産党総書記に就任後、２０２０年までに中国語（北京語）の全国完全普及を目指すという政策を発表した。それに基づき、新疆ウイグル自治区とチベット自治区においては2017年から、「国語」「政治」「歴史」の3科目で中国語版教科書の使用を開始した。

江沢民政権、胡錦濤政権も少数民族には厳しく対応してきたとはいえ、それでも2017年までは自分たちの民族の言語で教育を受けることは許されていた。

習近平が共産党総書記就任の直後に掲げた「中華民族の偉大なる復興」がその背景に横たわっている。

日本人も中華民族になるかもしれない

2012年11月15日、共産党総書記に就任した習近平は当日の記者会見にて、「中華民族の偉大なる復興」というスローガンを提唱した。同年11月29日、「復興の道 展覧会」に赴いたとき、再び「中華民族の偉大なる復興」について言及、さらにそれを「中国の夢」と名付けた。

それ以来、「中華民族の偉大なる復興」は習政権の看板政策理念として定着し、政治・経済・軍事・外交・教育政策の立案のすべては「復興達成」を目標に策定されてきた。

ここで問題となってくるのは、「中華民族の偉大なる復興」とは何を意味するのかである。

その前に説明しておきたいのが、そもそも「中華民族」とは何か、どういう概念なのかだ。

よく中国政府は中華民族という言葉を使うのだが、実は中華民族はどこにも存在しない。中国には漢民族、チワン族、チベット族、ウイグル族などが存在するものの、どこを探しても中華民族はいない。つまり、中華民族とは〝人工的〟につくられた虚構の概念なのだ。

では、この虚構の概念は何のために生まれてきたのか？　ひとつは、漢民族の支配の「隠れ蓑(みの)」としての役割だ。いまの中国は先刻もふれたように漢民族と55の少数民族から構成されるのだが、事実上、漢民族による完全支配である。

つまり、中華民族という概念とは、漢民族の少数民族に対する支配を〝隠す〟ためのものということになる。漢民族、チワン族、チベット族、ウイグル族、その他の民族を中華民族で括(くく)ってしまうわけだ。中華民族という同じ民族にしてしまえば、当然、民族差別も民族弾圧もない。そうした解釈により、漢民族の支配を正統化しようとしている。

そして中華民族という概念のもっとも危険なところは、一種のサラダボウルにたとえられるところだ。どんな民族であれ、中華民族という巨大なサラダボウルに入れられてしまうと、みんな中華民族になってしまう。どんな野菜でもサラダボウルに入れられるとサラダになるのと同じ理屈である。

たとえば周辺の民族が中国に征服されると、自動的にサラダボウルに入れられて、「おまえたちは今日から中華民族だ」となる。極端に言えば、万が一にも中国が日本列島を征服するならば、われわれ日本人は征服された瞬間から中華民族になってしまう。中華民族とはそうしたインチキな概念なのである。

民族支配から民族同化へ

むろん、このインチキな中華民族の概念を編み出したのは習近平ではない。概念の由来は次のとおりだ。

清朝末期の政治家の伍廷芳(ごていほう)が1910年に演説のなかでこの言葉をはじめて使ったとされる。これを政治概念としてさかんに使いだしたのは、中国の近代革命の思想家、梁啓超(りょうけいちょう)であった。梁啓超は長く日本に滞在し、日本で近代革命思想を学び、中国に導入した。

そして中華民族という概念を政治的概念として完全に定着させたのが、他でもない中華民国の創始者、孫文(そんぶん)だった。

知ってのとおり、孫文の基本的政治理念とは民族主義、民主主義、民生主義の「三民主義」。孫文は自分の著作において、民族主義思想をこう記していた。

「漢族ヲ以テ中心トナシ、満蒙回蔵四族ヲ全部我等ニ同化セシム」

満は満州族、蒙はモンゴル族、回はウイグルなどイスラム教を信仰する少数民族、蔵はチベット族。孫文の民族主義とは、漢民族による諸民族の同化のことであったのだ。これが孫文の建国の理念であり、そのために用意した政治的概念が中華民族だったわけである。

これはひどい話だ、と私は思う。中国の近代革命の父、近代共和国の創始者とされる孫文の考え方は、中国歴代王朝の皇帝たちとなんら変わりがないのだから。したがって、中国の近代革命はきわめて怪しいものだと言わざるをえない。

最初から中華民族とは、漢民族が少数民族を同化するための政治的道具であったのである。

1949年に成立した中華人民共和国は中華民族の概念を〝継承〟、毛沢東時代から55の少数民族は漢民族による支配下におかれた。チベットについては、51年に人民解放軍がチベットに進軍、占領した上、無理矢理に中国の自治区にした。新疆地域も同様に、55年に人民解放軍が進軍して、新疆ウイグル自治区にした。

だが、両方とも内モンゴル自治区と一緒で、少数民族に自治など与えられていない。実質上の権力者である共産党委員会書記にはずっと漢民族サイドの人間が就いており、一度たりとも例外はない。

また、現在の中国共産党政治局にも少数民族の人間は1人もいない。すべて漢民族である。しかし、毛沢東時代から胡錦濤時代までは、少数民族を政治的に支配しながらも、いちおう少数民族の子供が自分たちの言語・文化を学ぶことについてはある程度容認していた。

中華人民共和国憲法にもこう謳われている。

第4条　中華人民共和国の各民族は一律平等である。……各民族には自らの言語・文字を使用し発展させる自由があり、自民族の風習・習慣を保持し改革する自由がある。

ということは、いま習近平政権が進める中国語教育強化は「違憲」といえる。

現在、習近平政権が「中華民族の偉大なる復興」の看板下で進めているのは、まさに孫文が言うところの「満蒙回蔵四族ヲ全部我等ニ同化セシム」を受け継ぎ、従来の少数民族の支配から民族同化に移行し、それを完成させようとしているわけだ。

それでは習近平が唱える「中華民族の偉大なる復興」の究極目標とは何か?

私の理解では、対内的には、漢民族による諸民族同化の完成。そして対外的には、中国による世界秩序の再建と支配。恐ろしい限りである。

モンゴル人の民族抵抗運動は「中華帝国」崩壊の端緒となるのか

特別対談　石平＆楊海英

〈楊海英教授のプロフィール〉

静岡大学教授。１９６４年、中国・内モンゴル自治区生まれ。北京第二外国語学院大学日本語学科卒業。２０００年に日本に帰化し、06年から現職。18年正論新風賞受賞。『墓標なき草原―内モンゴルにおける文化大革命・虐殺の記録』など著書多数。

中国による公文書なき文化的ジェノサイド

石平　楊さんは敢然と中国共産党に立ち向かうモンゴルの勇士で、日頃より大変尊敬しています。いま内モンゴルの地で中国共産党政権はモンゴル人たちの言語を殺すため、教育の現場からモンゴル語を追い出そうときわめて乱暴なことを行っている。これに対して現地のモンゴル人たちが抵抗運動を起こしていると伝えられています。まず楊さんから、現在に至るまでの経緯をお聞きしたい。

楊海英　習近平国家主席には『国を治める理論』という著作があるのですが、たぶんこの理論が起因して、いまの内モンゴルの問題が現れたのだと思います。この問題は突然現れたように見えるけれど、実際はそうではありません。１９４５年から75年間にわたりずっとモンゴル人に溜まっていた不満が、ここに至って爆発したわけです。

石平　ということは、中国共産党政権が中国を建国する以前から、共産党は内モンゴル地域を支配していたってことでしょうか？

楊海英　第2次世界大戦終了の直後からです。そこから不満が溜まり続けてきたのを、ついに習近平が火をつけてしまった。きっかけはこうでした。今年の7月、私はある筋から情報を落手した。「中国政府はこの9月からモンゴル語教育をゆるやかに廃止して中国語で進めると決めた」というものでした。私はそのとき、これは行き過ぎた政策なので、署名サイトを立ち上げて反対署名を開始しました。7月の中頃からでした。

その当時、内モンゴルの人たちは結構楽観的で、「大丈夫だろう」という反応が多かった。なぜなら、「公文書」がなかったからです。ところが、公文書がないまま、7月28日になると、内モンゴルの教員たちと子供たちが集められて、新しい教科書を見せられた。そして当局から「9月1日から中国語を中心に教育を行っていく」と伝えられたとき、内モンゴル族住民が一斉に猛反発したわけです。

結局、いまだに公文書は示されていません。このあたり中国は非常にやり方がうまい。巧妙です。ある民族の言葉を禁止するのは「文化的ジェノサイド（虐殺）」にあたるので、公文書は出さないのです。

石平　これは中国共産党の一貫したやり方です。悪いことであるほど、公文書を出さない。悪事の深刻さが増すほど公文書を出さない。よくわかっているからです。

楊海英　それで抗議活動がものすごく拡大したのですが、われわれモンゴル民族は習近平と中国共産党に感謝申し上げなくてはいけません。それは今回のことで全世界のモンゴル人が団結するようになったからです。本来、モンゴル人は遊牧民族だから、なかなか団結するのは難しい。

石平　団結しないと生きていけない農耕民族とは違って、遊牧民族はあちこち移動しますからね。

楊海英　しかしながら、成吉思汗（ジンギスカン）みたいなカリスマ性のある英雄が出現すると、自分のほうから集まっていき団結した。成吉思汗が亡くなってからは、長らくそれができなかった。今度のことで世界中のモンゴル人が久々に団結した。

民族としての団結意識が目覚めた世界中のモンゴル人

石平　今回感銘を受けたことがあります。中国共産党はこれまで多民族を取り込むことに非常に長けていた。その民族の一部のエリート階層を籠絡し共産党に誘導させて、彼らにそれなりの地位を与えた。だから、一般民衆がどんなに苦しんでいても、そうしたエリート階層は中国共産党に走った。けれども、今回のモンゴル問題においては、本来ならば中国共産党に取り込まれているはずの宣伝機関や内モンゴル政府の幹部になっているエリートのモンゴル人も立ち上がった。

楊海英　今回だけはね。先に申し上げた教育関係の情報もある内部筋から、かなりの高位機関から漏れてきたもので、たぶん意図的にリークしたものだと思います。それが伝わってきて、抗議活動が一気に広がった。ですから、今回は地域を問わない。それから石平さんが言われたとおり、階層を問わない。農民、牧畜民、これがひとつ。もうひとつは、男性、女性を問わない。老人、子供など年齢を問わない。それから、いわゆる内モンゴルとモンゴル共和国を問わないわけです。モンゴル共和国が非常に力強く発信しています。

石平　楊先生のツイートを拝見していると、モンゴル共和国の大統領も発信しているようですね。

楊海英　現役の大統領には立場があるので明確にはできないのですが、9月1日の学校が始まる日にわざわざ学校に出向いていています。子供たちとモンゴル文字を一緒に読み書きして、「これは大事ですよ。わが民族のシンボルだからね」というメッセージを出した。また、前大統領は9月9日から、英語で「中国がしているのはカルチャージェノサイドです」とはっきりと書いた文書を出し、アメリカ議会とEU議会に対して、中国がこうした野蛮な行動をやめるよう圧力の強化を呼びかけています。

石平　モンゴル人は不幸にも、同じ民族にもかかわらず、モンゴル共和国といつのまにか中華民族にさせられた内モンゴルに分かれてしまった。しかしながら今回の一件により、モンゴル共和国のモンゴル人、内モンゴル自治区のなかのモンゴル人、同じ民族としての団結意識が目覚めたのではないでしょうか。

楊海英　目覚めたと思います。今回の通達では「モンゴル人の母国語は中国語だと言いなさい」としています。こうした中国の行為を文化的ジェノサイドだとかいくらでも非難はできるのですが、それ以前に子供にウソを言っているわけです。モンゴル人の子供に対して、「私の母語は中国語です」であると教師たちはウソにウソを重ねなければならず、これは絶対にしてはならないことです。もちろん子供たちは「中華民族とは何か」については、成長するにつれてようやくわかってきて、自分が中華民族かどうかを自問することになるでしょう。

石平　思考能力が発達していない子供の頃から、自分たちは中華民族であることを植え付けるのが中国側の目的です。最初から言葉を奪うことによって、子供たちの心から自分はモンゴル人、モンゴル民族である意識は剥離（はくり）してしまう。大きくなったら、彼らは自分たちは中国人だと思ってしまうでしょう。もちろんDNA的にはモンゴル人だけれど、文化的には中国人にすり替わっている。

中国は75年前からモンゴル人を支配し、圧迫し、大量虐殺も行った。それでも辛うじて習近平政権以前は、内モンゴルの子供は自分たちの言語を学ぶことを許されてきた。いまの中華人民共和国憲法第4条にも、各民族は自分たちの言葉を学ぶ自由があると書かれています。しかし、その少数民族にとって最後の砦を、習近平は完全に壊そうとしている。

だからこそ、これはモンゴル人の「最後の一線」だ。これが奪われたら、モンゴル民族は終わってしまう。そういう危機意識に世界中のモンゴル人が目覚めたといえる。

成吉思汗は中国人だった？

楊海英　「民族とは何か」をスターリンがこう定義づけています。これは学界においても定義となっていますが、「民族とは同じ言葉、同じ地域、同じ経済生活、および文化の共通性のうちに表れる心理状態の共通性を基礎として生じたところの歴史的に構成された共同体である」。

いま内モンゴルのモンゴル人とモンゴル共和国のモンゴル人は、経済が同じではありません。遊牧経済がモンゴル共和国で、内モンゴルは農耕、都市、定住型経済ですから。では、同じ歴史観をもっているかといえば、内モンゴルではモンゴルの歴史は改竄（かいざん）されています。

たとえば、成吉思汗は中国人だとか、ただひとりヨーロッパまで遠征できたのは中国人だったとか、歴史の教科書に載っているわけです。

石平　笑えるのは、成吉思汗を中華民族の英雄に祭り上げていることです。成吉思汗は中国人とは何の関係もない。逆に成吉思汗の後継者たちは中国に攻め込んだ。

楊海英　それなのに相手の歴史を奪ってしまった。だから、モンゴル共和国のモンゴル人と内モンゴルのモンゴル人の歴史観は違うのです。さまざまなことを中国に都合よく変えられてきて、最後に残ったのが言葉なのです。75年間散々やられてきたけれど、モンゴル人はずっと我慢を重ねてきた。

それで最後の砦である言葉も壊すと中国に言われたとき、もう我慢しきれなくなった。やはり人間は越えてはならない一線を越えられようとしたときには、命をかけて戦うものです。それで今回はオールモンゴル人が立ち上がった。本当に久しぶりにモンゴル人が団結できた。

石平　今回がすごいのは、共産党の支配体制のなかに組み込まれたモンゴル人たちも、自分たちの民族を守るために抗議活動に加わったことです。自分たちの利害関係を度外視した。

習近平政権が香港で民主派を排除しようとしたことで、香港人の意識を目覚めさせてしまったのと、同じ現象ではないでしょうか。

中国共産党に理解できなかったモンゴル人の価値観

楊海英　私は1997年に中国に返還されたばかりの香港を訪ねました。当時、香港は「一国二制度」によって高度な自治が保障されているという触れ込みでした。それを聞いた私は、「やはり漢族は漢族（香港）を愛しているのだな。内モンゴルには高度な自治など絶対にくれないからな」と思った。けれども、中国の特別行政区となった香港を数日歩いてみて、「香港も駄目だ」と認識しました。

なぜかというと、北京から来た人たちが異様に威張っていたからです。香港の公用語はご存じのとおり、広東語です。返還直後で北京語ができない香港人が多いのは当たり前なのに、北京から来た共産党の幹部らしき人物は、北京語ができない香港人に腹を立てていた。レストランの勘定の場面で、北京からの人間がお金を投げつけていました。その人が「香港人はお金さえあげれば満足する」と話していたのをいまでも覚えています。けれども、人間とはお金さえあれば満足する生き物ではありません。

石平　お金さえあれば満足。そういう考え方をもっているのは中国共産党のほうですよ。中国共産党は「唯物主義」ですから。今回のモンゴル人の反抗は、習近平政権にとり大きな誤算だったと思います。あそこまで反抗するとはまったく想像していなかったでしょうから。

楊海英　私は毎年内モンゴルに里帰りするのですが、現地の共産党の連中に聞くと異口同音に、「もう内モンゴルに民族問題はないよ」と言ってくる。「どうしてですか？」と聞いたら、「それは豊かになったからだ」と返されました。「ほら、モンゴル共和国を見なさいよ。あいつらはまだ遊牧している。草原に住んでいる」

彼らは、内モンゴルは都市化して豊かになったと誇らしげでした。たしかにGDPは内モンゴルのほうが上回っている。一般人が車をもつようにもなった。だからといってモンゴル意識が希薄になるのかといえば、逆なんですね。

価値観が違うからです。モンゴル人は広い草原に暮らし、目の前に羊と牛の群れが現れて、それを見ていると「おれは世界一の幸せ者だ」と実感するのです。

石平　唐時代の詩人がこんな漢詩を詠んでいた。「空は青々とし、野原は果てしなく広がる。風が吹き草がなびくと、牛や羊の姿が現れる」少年時代にこれを読み、ものすごくモンゴルの草原に憧れたことがありました。

楊海英　モンゴル人は遊牧をして肉と乳製品を食べていれば、このうえなく幸せなのです。ですから中国が進めた内モンゴルの定住化、農民化、農耕化はモンゴル人にすれば〝堕落〟にほかなりません。GDPがなんぼ増えてもモンゴルらしさが消えていくことに対して、モンゴル人は侮辱を感じていた。

石平　モンゴル人は内モンゴルのなかで、まず政治的権利を奪われた。自治権を奪われた。そして自分たちの生活様式も奪われた。それをずっと我慢していたら、今度は言葉まで奪われるような事態になった。これには堪忍ならなくて爆発した。

楊海英　だから、豊かになれば問題解決になるかといえば、それは逆だったわけです。ここ数年、モンゴル共和国に行くと草原はきれいなままで、遊牧民は草原を馬で駆け回っている。遊牧をしながら携帯電話を使っているし、ドローンを使っているのです。大好物の肉と乳製品を食べながら、最高の暮らしをしている。

世界で2番目に強いモンゴル国のパスポート

石平　内モンゴルには遊牧生活は残っているのですか？

楊海英　ないです。定住、牧畜が若干残っている程度です。だから、内モンゴルのモンゴル人がモンゴル共和国を訪れると、モンゴル人の本来の姿はここにあるのだと実感する。内モンゴルがいかに堕落したのかに気づかされるわけです。そうするとよけいにモンゴル意識が高まってくる。習近平や中国政府は、豊かになればモンゴル意識などなくなると期待していた。ところが中国を愛するようにはならなかった。真逆でした。

石平　一方、漢民族は豊かになればなるほど、母国を愛さなくなった。豊かになればなるほど、みな外国への移民を求めた。金持ちになればなるほどアメリカを目指した。

楊海英　モンゴル共和国のパスポートをご存じでしょうか。191ヵ国にビザなしで入国できる日本のパスポートは世界最強ですが、モンゴル共和国は2番目に強いのです。モンゴルのパスポートは160ヵ国以上に通用する。なぜでしょうか。モンゴル共和国の人間は世界中に出掛ける一方で、しばらくしたら必ず母国に戻ってくるからです。他国に定住するのは私みたいに駄目なモンゴル人で、きわめて少ない。

要は、モンゴル人は知的好奇心が強く世界を見て回るのが好きなのだけれど、最終的にはやっぱりモンゴルがいちばんだと悟り、戻ってくる。日本人もそういう人が多いのではないでしょうか。世界中を回ってみたものの、やっぱりご飯と味噌汁が恋しいと感じる。

モンゴル人も同じなのですよ。モンゴルの草原で馬に乗って遊牧している人たちは、そのまま馬に乗って空港に来て、そのまま馬を離してドイツに飛んでいくなんてことは当たり前です。馬は勝手に草原に帰っていき、遊牧の群れに加わります。

石平　モンゴル人は内モンゴルもモンゴル国も関係なく、同じ民族としてこれから取り戻すべきは、自分たちの価値観、理想、ライフスタイル、文化、そして最後は民族の独立です。中国の横暴によってそれに火をつけられたことが、歴史のひとつの始まりになった。

楊海英　私はモンゴル人にとり、75年ぶりに訪れた新しい時代の幕開けだと捉えています。

石平　旧ソ連の崩壊も民族問題でした。私にはもうひとつ秘かな期待があります。今回、モンゴル人が立ち上がったことが、中華帝国の崩壊の端緒となることです。昨年、アメリカが提唱する「インド太平洋戦略」の防衛のパートナーにシンガポール、ニュージーランド、台湾、そしてモンゴルが選ばれています。

楊海英　詳しいことは明かせませんが、アメリカは10年前からモンゴルにさまざまなアプローチをしてきています。ですから、日本のメディアは「アメリカのトランプ政権は選挙のためにウイグルや香港や台湾の問題に関与している」と報じているけれど、実際は違います。数年前から、アメリカは綿密に計画を立てて準備をしてきました。

モンゴルを「インド太平洋戦略」に入れるというのも、十数年前から進められてきたことです。

石平　私には意外でした。シンガポールをはじめとする海洋国家ならばわかるのですが、モンゴル国は内陸国家ですからね。アメリカ主導の戦略とモンゴル人の民族の独立、民族意識の覚醒などの要素がうまくかみ合って、ひとつの流れをつくることができれば、世界史は大きく変わるのではないでしょうか。なにせ世界史なるものをつくったのは楊さんの先祖のモンゴル人だったのですから。

よく成吉思汗の登場以前は世界史というものはなかったと言われます。別々の地域の歴史にとどまっていた。それが成吉思汗の登場によって初めて世界史というものに広がった。

モンゴル人ナショナリズムの源は誇り

楊海英　歴史家の大先輩である岡田英弘先生はそう言われていましたね。これは私が研究者として皆さんに伝えていることなのですが、モンゴルのナショナリズムとウイグルのナショナリズムとチベットのナショナリズムはそれぞれ異なっているのですね。いちばん怖いのはモンゴルのナショナリズムです。

10年ほど前に新疆ウイグル自治区で大規模な民族騒乱が起きました。これはいわゆるウイグルナショナリズム、イスラムナショナリズムの爆発でした。その少し前にはチベットで起きました。

その当時、私は台湾や香港のメディアの取材に対してこう答えました。私は常に中国の立場から物事を見るのが大切だと考えています。それで中国からすると、ウイグルのナショナリズムとチベットのナショナリズムは抑えやすいのです。まずチベットについては、縁起でもないけれど、そのうちにダライ・ラマは亡くなります。問題はその後のことをチベット人はあまり考えていません。亡くなっても次のダライ・ラマが出てくるからです。

ウイグルについては、中央アジアにトルコ系国家、つまりトルコ系の兄弟はいっぱいいるのだけれど、関係性が安定していません。

その点モンゴルは、言ってみれば同じ人間を2つに分けて、片方が中国に人質として取られている内モンゴルで、もう片方がモンゴル共和国になっている。たとえば、人質が虐められていると、モンゴル共和国は決して放っておくことはない。そんな関係です。

カザフスタン、キルギス、ウズベキスタン、トルコ共和国を含めてみんなウイグルの兄弟国なのだけれど、中国に虐められているウイグルに手を差し伸べるのに躊躇している。

このように、ウイグルと中央アジア、チベットのナショナリズムはまったく違うわけです。加えてチベットについて申し上げれば、失礼ながらたとえばダライ・ラマ様が御入寂されたら、中国は次のダライ・ラマを用意するでしょう。

さらにウイグルの場合は、イスラムが反テロの対象とされ、世界の人々から距離を置かれていることから、仲間の国もしょせん兄弟だからという気持ちがあります。

ところが、モンゴルの場合は違います。モンゴル人を虐めたら、モンゴルナショナリズムはウイグルナショナリズム、チベットのナショナリズムのようには収まらない。

では、香港ナショナリズムはどうでしょうか。私は、広東語と北京語がまったく違うように、香港人は中国とは違う民族だと思います。台湾はやはり世界史のなかの台湾ですから、中国の台湾ではない。

それと同じ理屈で、モンゴル人は人種的に中華民族ではありません。文明史的にも違う。しかも、人間には「おれの過去はすごいよ。栄光の歴史がある」という記憶がどんなに落ちこぼれになっても誇りとして残るものです。モンゴル人にも当然残っている。

今回の抗議活動で仕事をボイコットしたモンゴル人幹部たちは、「仕事に復帰しなさい」と当局から命じられても「おれは殺されても行かない」と一様に拒否しています。

モンゴル人はたぶん春秋戦国時代の漢民族と似ているところがあります。言ってみれば、いまのモンゴル人には依然として〝不遵守（ふじゅんしゅ）〟の精神が残っているのです。要するに、殉教者になっても構わない、命を捧げてもいい、とハラを括っている。ですから、そこはウイグル人、チベット人とはわけが違う。

石平　そこはまさに唯物主義そのものの中国共産党政権が理解できていないところでしょう。いざとなったとき、モンゴル人は命も世間の利害関係も、地位も、立場も、何もかも捨てることができる。それは彼らの理解を超えていたということです。中国共産党は眠っていた獅子を揺り起こしてしまった。

情報戦で群を抜いていたモンゴル帝国

石平　ここからはいまの日本人があまり知らないであろうモンゴルとモンゴル人の「誇り」と「受難」の歴史を楊教授にうかがいたいと思います。

楊海英　人間とは、唯物主義者を除けば基本的には精神的な生き物です。ですから、歴史に生きているわけです。モンゴルの人々は非常に歴史が好きで、歴史のなかに生きているといっても過言ではありません。

石平　具体的にはどういう感じなのでしょうか？

楊海英　私が子供の頃から見てきた光景を申し上げると、気がつけば大人たちが集まって、成吉思汗やヨーロッパや毛沢東の話をまるで見てきたかのように語り合っているのです。

石平　テレビなどなかった時代、草原のなかで夜空を見上げながら、そうやって子供たちは大人の話を聞きながら育ってきたのですね。

楊海英　モンゴルには英雄叙事詩の伝統が培われてきた。語り出したら数ヵ月、半年もかかります。われわれはそれを聞いて育ってきました。

モンゴル族はもともとユーラシアの民族なのですね。「モンゴル族はわが国の少数民族」

と中国政府は認識しているようですが、それはまったくの誤解です。価値観も考え方もすべてユーラシアと同じ。隣の南側の中国の人々とは大きく異なっています。言葉が違うし、文明が違うし、物の見方も全然違う。

もうひとつ大きく違うのは、モンゴル人は誇り高き民族なのです。誤解なきように申し上げますが、誇り高きという意味は、事実無根の「おれは偉いよ」ということではなく、根拠がなければいけない。

モンゴル人がもっとも誇りに思っているのは「情報力」なのです。遊牧民のモンゴル族の先輩はトルコ、トルコの先輩は匈奴(きょうど)、つまりフン族。匈奴がユーラシアの西に進出してフン族になった。だからわれわれの先輩ははるか昔からユーラシアを西へ東へと行ったり来たりしていたのです。

石平　たしか4世紀末にヨーロッパで民族大移動が起きたのは、フン族が中央アジアから西ヨーロッパに進出し、ゲルマン民族がその圧力に耐えかねたからでした。

楊海英　遊牧民同士は途中で出会ったら、「最近、何かいいことないかな?」と新しい情報を交換し合うわけです。すると、モスクワがね、バグダッドがね、テヘランがね、北京がね、という話になる。

ちょっと嫌味になるけれど、漢民族同士が出会ったらこうなりますよね。「最近、何かうまいもの食ったか？」蛇を食った、猫を食った、アルマジロを食ったと、珍味の情報交換になってしまう。

昔のモンゴル人たちは「テヘランに行ってきた。シルクの価格がえらく上がっていたよ」とか「バグダッドに新しい軍団ができたぞ」といった情報を交換し合っていた。ということは、大昔から世界を知っていた。

世界をどう知っているか？　モンゴル人は遊牧民であり騎馬民族だから、当然ながら馬に乗ってユーラシアをめぐっていたわけです。馬に乗って世界を見ると、視野が広くなります。

石平　そこが農耕民族と違う。

楊海英　自動車を運転する人にはわかると思うのですが、自動車に乗ったら歩いている人を馬鹿にしたくなるものでしょう。なんでもっと速く歩かないんだとイライラする。モンゴル人はそれなんです。背丈のある馬に乗って、遠い世界を見てきた。だから、目の前を見ない。私なんか御堂筋を歩いていても、目の前のものは目に入らず、遠いところを見て「おっ、別嬪が歩いている」という具合。これ、モンゴル人の習性です。

モンゴル人には情報を早くキャッチして遠くを見るという伝統がある。だからこそ、成吉思汗はヨーロッパまで進出した。

石平　そうか、モンゴル帝国は軍事力が傑出していただけではなかったのですね。

楊海英　そうです。情報戦で群を抜いていたからです。いまも情報力が勝敗の決め手だけれど、古代も同じだった。情報を知っている人が世界を制覇した。ですから、習近平が中国の民衆に情報を渡さないのは、中国人を駄目にしているわけですよ。

　モンゴル人は情報を知っていた。視野が遠くまで届く。だから、世界帝国を築き上げることができた。いったん栄光の歴史をつくってしまうと、モンゴルがなぜ強かったのか、みなそれを忘れることはない。

石平　なるほど。

内モンゴルと満洲国を解放したのはソ蒙連合軍

楊海英　栄光の歴史を携えるモンゴルの人々が近代に入って「受難」すると、栄光と受難が表裏一体になって、余計に忘れるものかという気持ちが働く。余談になるけれど、いまモンゴル国のSNSで何が流行っているかというと、「成吉思汗の映画」と「成吉思汗を謳った歌」なのですね。モンゴル人は成吉思汗という言葉を聞いただけで、神様が自分の胸のなかに入ったような神がかり状態になってしまうのです。

話を戻すと、過去の栄光に加えて、モンゴル人は尚武の民族であり、先に申し上げたように不遵守の風土が残っています。言葉を換えるなら、義勇感にあふれています。だから、不正と不平を見ると立ち上がる。

石平　漢民族にも秦（しん）の始皇帝以前にはそうした気風があったように思えます。春秋戦国時代ですね。その後いくつかの大帝国ができましたが、みんな皇帝様の奴隷にされて、その気風が徐々にそがれていきました。

楊海英　不遵守の独特の風土、栄光と受難の歴史が不可分の関係になっているモンゴル人はこの75年間、受難を抱え込み、涙をのんできた。

まず1945年、日本が支配していた内モンゴルの3分の2が解放された。内モンゴルと満洲国を解放したのはソ連とモンゴル人民共和国の連合軍でした。いわゆるソ蒙連合軍。中国ではこれについては〝禁句〟になっています。なぜなら、中国共産党が内モンゴルを解放したことにしているからです。大ウソです。

モンゴル人民共和国は内モンゴルを中国と日本の支配から解放して、統一国家をつくりたいという願いをもっていた。当時のモンゴルの人口は90万人。そのうちの11万人を軍隊に投入していました。

たぶん、50歳以下、13歳以上の男は全部軍隊に行かせた。モンゴルの指導者はこう演説したそうです。「われわれは万里の長城まで軍を進めて、内モンゴルを解放し、統一国家を建国する」

ですから、モンゴル軍は統一国家建国という悲願を叶えるために奮戦した。モンゴル軍が現在の河北省北西部の張家口（ちょうかこう）まで進軍して、内モンゴルを解放したことが最近明るみになりました。

石平　へえ、張家口ですか、もう北京の近くですよね。

大国の裏取引により中華民国に引き渡された内モンゴル

楊海英　ここからの話が面白い。モンゴル軍が張家口まで南下したときに蔣介石（しょうかいせき）がびびってしまった。「ソ連軍はいいけれど、モンゴル軍を長城の南には行かせるな。中国人が受け入れられない」と。モンゴル軍が長城を突破したら、その事実に対する衝撃があまりにも大きいからです。それで北京の蔣介石はモスクワに電報を打って、モロトフ外相がモンゴル軍に進軍停止を要請、万里の長城にいたモンゴル軍は要請に従った。それでも統一国家が生まれるとモンゴル人は喜んだ。

モンゴル人民共和国からさまざまな委員会が内モンゴルに来て、国家のつくり方を教えにきました。実は内モンゴルのほうも日本の植民地でしたから、近代国家とは何かを認識していた。日本が統治した台湾同様、すでに国家の基礎ができていたのです。その内モンゴル軍軍隊についても、内モンゴルには近代化した14の師団ももっていた。その内モンゴル軍がモンゴルに移動して再訓練を受けて、統一国家の形をつくっていった。これが１９４５年8月のことでした。

ところが9月になったら、急にモンゴルの軍隊が撤退することになったのです。なぜかというと、１９４５年2月に秘密裡にヤルタ協定が結ばれていて、内モンゴルは中華民国に渡されることに決まっていたからでした。しかし、当事者であるモンゴル人民共和国はまったく与り知らぬことでした。

石平　アメリカのルーズベルトとソ連のスターリンとイギリスのチャーチルの連合国3首脳がソ連のヤルタに集まって秘密会談で交わした協定だ。

楊海英　日本の北方4島についてもヤルタ協定で決められています。北方4島はソ連に引き渡すと。そして内モンゴルは中華民国に統治させる。これらはオリジナルの表現です。私はいつも日本の皆さんに言うのですが、ヤルタ協定には日本人もモンゴル人も参加していません。日本は敗戦国でした。しかし、モンゴル人民共和国は戦勝国だった。

ですが、戦勝国であれ敗戦国であれ、当事者のいない協定は国際法上、無効なのです。

しかも密約でしょう。密約も国際法上、無効。さらにモンゴルについていえば、戦勝国でした。戦勝国がなぜ領土を失わなければならないのでしょうか。

これはアメリカ、ソ連、イギリスの密談でしたが、2005年にアメリカのブッシュ大統領がバルト3ヵ国に行った際、「ヤルタ協定は間違っていた」と認めています。ということは、ヤルタ協定は無効だから、日本は北方4島を取り戻すべきですよ。

われわれにしても、内モンゴルが中国の一部にされている唯一の法的根拠とされているのがヤルタ協定なのです。

石平　そうか、モンゴル人の意志とは関係なく、内モンゴルは大国の裏取引によって中華民国に引き渡された。その後中華民国が内戦に敗れると、そのまま中華人民共和国の支配下に入った。

内モンゴルのエリートを根こそぎ粛清した共産党による人民革命

楊海英　1947年に内モンゴル自治政府ができます。自治区ではなく、政府です。

石平　それは中華民国の枠組みのなかですか。

楊海英　そうです。当時は内モンゴル自治政府ですけれど、毛沢東は「連合政府論」という論文のなかで、内モンゴル自治政府は将来の連合政府のひとつなのだ、連邦の一員なのだと書いた。

石平　あれは完全なウソだった。内モンゴルを奪ったら、そんな話はなかったことにした。

楊海英　そのとき内モンゴルの人たちは、「仕方がないけれど、連邦のなかの自治政府ならば、ソ連のような連邦政府になるのだな」と思っていた。中華民国は自治政府など認めなかった。毛沢東の共産党のほうが連合政府を掲げているので、よりリベラルだからと捉えていた。

石平　中国共産党にまんまとダマされたわけですね。

楊海英　これがモンゴルにとって2回目の悲劇でした。悲劇はこれでは終わりません。3回目の悲劇は1949年10月、中華人民共和国が建国されたときでした。

建国の1週間前に周恩来が内モンゴルの指導者に「あなたたちは自治政府ではなく、自治区ですよ」と言ってきたのです。今回の文化的ジェノサイドと同じく、公文書はありません。いつのまにか内モンゴル自治政府が内モンゴル自治区にすり替わっていたのです。

公文書がないことから研究者たちは好き勝手に言っているけれど、そのときから中国の手口は変わっていない。

石平　悪いことをするときには公文書を出さない。これではチンピラ、ゴロツキとなんら変わらない。もともとチンピラたちの集団がのし上がって天下をとったのが中国共産党だから。

楊海英　それで内モンゴルの人たちは、「われわれは独自の軍隊をもつ。ただし国防と外交は中央政府に渡す」と抵抗した。だから、1949年までは内モンゴル人民解放軍で、中国人民解放軍ではなかったのです。これが3回目の悲劇。

4回目の悲劇は、1966年に始まった毛沢東の文化大革命のときでした。それまで毛沢東に抵抗していた内モンゴルエリートたちを根こそぎ粛清した「内モンゴル人民革命」が起きたのです。

「日本の占領下のとき、お前らは日本人に協力しただろう」これがひとつ目の罪。2つ目の罪は「日本軍が消えたあと、お前らはモンゴルと一緒になりたがっていた民族分裂主義者だ」というものでした。

内モンゴル人民革命についての中国政府の公式見解は、34万人が逮捕され、12万人が身体障がい者となり、2万7900人が殺害されたことになっています。毛沢東の側近の情報員・周恵（しゅうけい）が内モンゴルの書記だった頃、彼はある演説でこう語ったと記録に残っています。「逮捕したのは64万人」当時の内モンゴルの総人口は約150万人でしたから、大人の約半分は逮捕されたのでしょう。12万人の身体障がい者については、最終的には虐待が原因で亡くなっています。2万7900人の犠牲者を合わせると約15万人になります。

石平　当時のモンゴル人のエリートのほとんどがやられてしまったのですね。どれくらいの期間だったのですか？

楊海英　10年間に渡っての内モンゴル人エリート殲滅（せんめつ）作戦でした。でも、それでもモンゴル人は我慢した。この10年の内モンゴル人民革命、要は内モンゴルの文革で犠牲者の出なかった家庭はなかった。それが今回、中国が最後の一線を越えたときモンゴル人全員が爆発した〝遠因〟になっています。

世界史に残る年になるかもしれない2020年

石平　つまりモンゴル人がこれまで75年間、中国に味わされてきたすべての悲しみと苦しみが一気によみがえったわけですね。

楊海英　文革中もモンゴル人はモンゴル語の使用を禁じられていました。文革の後半から少しずつ許されてきた。ですからモンゴル人からすると、これだけ殺されても我慢した。経済における差別も我慢した。歴史や文化を改竄されても我慢した。最後の、言語もやめろと命じられたときに爆発した。

人間は爆発するときには、それまでの過去がすべて復活するものです。そう、これはモンゴル人の「総決算」なのです。

石平　75年間に渡って、中国共産党政権がモンゴル人たちにやってきたすべてのことに対しての爆発だった。これは清算しなければならないのだと。

楊海英　中国はモンゴル民族の集合的記憶を呼び起こしてしまったわけです。たとえば広島、長崎、敗戦は日本民族の集団的記憶です。でも、民族の集団的な記憶については、記憶はしておくけれど、よほどなことに遭わないかぎり爆発はしません。すでに歴史になっているからです。

ところが、内モンゴルの場合はそうではない。いまも続いているのです。だから爆発した。きちんと出来事を総括し、きちんと真相を解明したら歴史になります。

いま習近平は文革（内モンゴル人民革命）を〝否定〟しているでしょう。モンゴル人からすると、彼はもう1回文革をやりたいのだろうなと思わざるをえない。

石平　そうでしょうね。習近平政権は、あの文革の10年間をほとんど正しかったことにしていますから。

楊海英　私は歴史学者ですから、モンゴルのみならず中国についても考えるのですが、中国共産党がひっくり返ったら、中国内地、チャイナプロパーでは血で血を洗う紛争が起こるのではないかと、非常に心配しています。

中国共産党は来年で創立100年を迎えますが、この100年間ずっと人を殺し続けてきました。漢民族の人たちがこれで我慢するとは私には見えません。四川省でもものすごい殺戮（さつりく）が行われましたよね。

石平　建国の1年後、反革命分子の鎮圧で政府が認めたところでも71万人を銃殺した。毛沢東が人為的につくり出した大飢饉（だいききん）では数千万人が死んだ。文化大革命でも多くの命を奪った。中国共産党は本当に罪深い。

その意味では今年は世界史に残る年になるかもしれません。香港国家安全維持法の導入は、香港人を敵に回しただけでなく、世界中を敵に回した。そして今回、75年間我慢を重ねてきたモンゴル人が立ち上がった。もうこれ以上、中国共産党のために世界の人たちが苦しめられるのはたくさんだ。

楊海英　人類のために、中国共産党をこれ以上もたせてはいけないということでしょう。

著者略歴

石平（せき・へい）

1962年中国四川省成都市生まれ。1980年北京大学哲学部入学。1983年頃毛沢東暴政の再来を防ぐためと、中国民主化運動に情熱を傾ける。同大学卒業後、四川大学哲学部講師を経て、1988年留学のために来日。1989年天安門事件をきっかけに中国と「精神的決別」。1995年神戸大学大学院文化学研究科博士課程修了。民間研究機関に勤務。2002年『なぜ中国人は日本人を憎むのか』を刊行して中国における反日感情の高まりについて先見的な警告を発して以来、日中問題・中国問題を中心に評論活動に入り、執筆、講演・テレビ出演などの言論活動を展開。2007年末日本国籍に帰化。14年『なぜ中国から離れると日本はうまくいくのか』（PHP）で第23回山本七平賞を受賞。著書に『習近平敗北前夜』『アメリカは絶対許さない！「徹底抗戦」で中国を地獄に導く習近平の罪と罰』『習近平がゾンビ中国経済にトドメを刺す時』『アメリカの本気を見誤り、中国を「地獄」へ導く習近平の狂気』『私たちは中国が世界で一番幸せな国だと思っていた』（ビジネス社）、『「天安門」三十年　中国はどうなる?』（扶桑社）、『なぜ論語は「善」なのに、儒教は「悪」なのか』（PHP）など多数ある。

世界史に記録される2020年の真実
内憂外患、四面楚歌の習近平独裁

2020年11月16日　第1刷発行

著　者　石 平
発行者　唐津 隆
発行所　株式会社ビジネス社
〒162-0805　東京都新宿区矢来町114番地 神楽坂高橋ビル5階
電話　03(5227)1602　FAX　03(5227)1603
http://www.business-sha.co.jp

印刷・製本　大日本印刷株式会社
〈編集協力〉加藤 鉱
〈カバーデザイン〉大谷昌稔
〈本文組版〉茂呂田剛（エムアンドケイ）
〈営業担当〉山口健志
〈編集担当〉本田朋子

ISBN978-4-8284-2229-9